Ilse Aichinger
schlechte Wörter
S. Fischer

© S. Fischer Verlag GmbH, Frankfurt am Main 1976
Satz und Druck Buchdruckerei Eugen Göbel, Tübingen
Einband G. Lachenmaier, Reutlingen
Gestaltung Otl Aicher, Ulm
Printed in Germany 1976
ISBN 3 10 000507 4

Schlechte Wörter

Ich gebrauche jetzt die besseren Wörter nicht mehr. *Der Regen, der gegen die Fenster stürzt.* Früher wäre mir da etwas ganz anderes eingefallen. Damit ist es jetzt genug. *Der Regen, der gegen die Fenster stürzt.* Das reicht. Ich hatte übrigens gerade noch einen anderen Ausdruck auf der Zunge, er war nicht nur besser, er war genauer, aber ich habe ihn vergessen, während der Regen gegen die Fenster stürzte oder das tat, was ich im Begriff war, zu vergessen. Ich bin nicht sehr neugierig, was mir beim nächsten Regen einfallen wird, beim nächstsanfteren, nächstheftigeren, aber ich vermute, daß mir eine Wendung für alle Regensorten reichen wird. Ich werde mich nicht darum kümmern, ob man *stürzen* sagen kann, wenn er nur schwach die Scheiben berührt, ob es dann nicht zuviel gesagt ist. Oder zu wenig, wenn er im Begriff ist, die Scheiben einzudrücken. Ich lasse es jetzt dabei, ich bleibe bei *stürzen,* um den Rest sollen sich andere kümmern.

Den Untergang vor sich her schleifen, das fiel mir auch ein, es ist sicher noch viel angreifbarer als der stürzende Regen, denn man schleift nichts vor sich her, man schiebt es oder man stößt es, Karren zum Beispiel oder Rollstühle, während man andere Dinge wie Kartoffelsäcke nachschleift, andere Dinge, keinesfalls Untergänge, die werden anders befördert. Ich weiß das und die bessere Wendung lag mir auch schon wieder auf der Zunge, aber nur um zu fliehen. Ich trauere ihr nicht nach. *Den Untergang vor sich her schleifen* oder besser *die Untergänge,* ich versteife mich nicht darauf, aber ich bleibe dabei. Ob man sagen kann *ich entscheide mich dafür* ist fraglich. Die bisherigen Sprachgebräuche lassen eine Entscheidung da, wo es sich nur mehr um eine Möglichkeit handelt, nicht zu. Man könnte sich darüber unterhalten, aber ich habe diese Unterhaltungen satt – sie werden meistens in Taxis auf den Wegen stadtauswärts geführt – und nehme meine angreifbaren Wendungen in Kauf.

Ich werde sie natürlich nicht anbringen können, aber sie tun mir leid wie Souffleure und Opernglasfabrikanten, ich beginne eine Schwäche für das Zweit- und Drittbessere zu bekommen, vor dem sich das Gute ganz geschickt verbirgt, wenn auch nur im Hinblick auf das Viertbessere, dem Publikum zeigt es sich häufig. Das kann man nicht übelnehmen, das Publikum wartet ja auch darauf, das Gute hat keine Wahl. Oder doch? Könnte es sich nicht im Hinblick auf das Publikum verbergen und den schwächeren Möglichkeiten sein Gesicht zeigen? Das muß man abwarten. Ausreichende Devisen gibt es genug – das komplizierte Erlernbare – und wenn ich mich auf die nicht ausreichenden stütze, so ist das meine Sache.

Ich bin auch bei der Bildung von Zusammenhängen vorsichtig geworden. Ich sage nicht *während der Regen gegen die Fenster stürzt, schleifen wir die Untergänge vor uns her*, sondern ich sage *der Regen, der gegen die Fenster stürzt* und *die Untergänge vor sich her schleifen* und so fort. Niemand kann von mir verlangen, daß ich Zusammenhänge herstelle, solange sie vermeidbar sind. Ich bin nicht wahllos wie das Leben, für das mir auch die bessere Bezeichnung eben entflohen ist. Lassen wir es *Leben* heißen, vielleicht verdient es nichts besseres. *Leben* ist kein besonderes Wort und *sterben* auch nicht. Beide sind angreifbar, überdecken statt zu definieren. Vielleicht weiß ich, warum. Definieren grenzt an Unterhöhlen und setzt dem Zugriff der Träume aus. Aber das muß ich nicht wissen. Ich kann mich heraushalten, ich kann mich sogar leicht heraushalten. Ich kann daneben bleiben. Sicher könnte ich *leben* so oft vor mir hersagen, bis mir davon übel würde und ich mich gezwungen sähe, zu einer anderen Bezeichnung überzugehen. Und *sterben* noch öfter. Aber ich tue es nicht. Ich schränke ein und schaue zu, damit bin ich genügend beschäftigt. Ich höre auch zu, aber das hat gewisse Gefahren. Dabei können einem leicht Einfälle unterlaufen. *Sammle den Untergang* hieß es unlängst, es klang wie ein Gebot. Das möchte ich nicht. Wenn es eine Bitte wäre, so wäre sie zu überlegen, aber Gebote jagen mir Angst ein. Deshalb bin ich auch zum Zweitbesseren übergegangen. Das Beste ist geboten. Deshalb. Ich lasse mir nicht mehr Angst machen, ich habe genug davon. Und noch mehr von meinen Einfällen, die gar nicht die meinen sind, weil sie sonst anders hießen. *Meine Ausfälle* kann es heißen, aber nicht *meine Einfälle*. Ach was, es kann alles heißen. Das haben wir zur Genüge erfahren. Die wenigsten können sich wehren. Sie kommen zur Welt und werden sofort von alledem umgeben, was sie zu umgeben nicht ausreicht. Ehe sie den Kopf wenden können, werden ihnen, begonnen bei ihrem eigenen Namen, Bezeichnungen zugemutet, die nicht zutreffen. Sie sind schon in den Schlafliedern leicht nachzuweisen. Später wird das massiver. Und ich? Ich könnte mich wehren. Ich könnte statt dem Erstbesten leicht dem Besten auf der Spur bleiben, aber ich tue es nicht. Ich will nicht auffallen, ich mische mich lieber unauffällig hinein. Ich schaue zu. Ich schaue zu, wie alles und jedes seine rasche, unzutreffende Bezeichnung bekommt, ich tue sogar seit kurzem mit. Der Unterschied ist nur: ich weiß, was ich tue. Ich weiß, daß die Welt schlechter ist als ihr Name und daß deshalb auch ihr Name schlecht ist.

Sammle den Untergang – das klingt mir zu gut. Zu scharf, zu genau, den späten Vogelschreien zu ähnlich, eine bessere Bezeichnung für die reine Wahrheit als die reine Wahrheit es ist. Damit könnte ich auffallen, aus meiner lange und schwer eroberten bescheidenen Stellung in der Phalanx der Benenner herausgehoben werden, meinen Zuschauerposten verlieren. Nein, das lasse ich. Ich bleibe bei meinem Regen, der gegen die Fenster stürzt, in der Nähe der zweckgebundenen Ammenmärchen – und wenn schon Untergänge, dann solche, die man vor sich her schleift. Das Letzte ist fast schon zu genau, vielleicht sollte man Untergänge überhaupt aus dem Spiel lassen. Sie sind dem, wofür sie stehen, zu nahe, stille Lockvögel, die die Norm umkreisen. Norm ist gut, Norm ist in jedem Fall ungenau genug, Norm und der Regen, der stürzt, alle Vor-, alle Nachnamen, das geht endlos und man bleibt der stille Zuschauer, der man sein möchte, aus der einen oder der anderen Richtung beifällig betrachtet, während man die Fäuste in den Taschen und die Untergänge bei sich selbst läßt, fortläßt, sein läßt, das ist gut. Sein lassen ist schon wieder zu gut, zum Lachen gut, nein, weg mit den Untergängen, sie ziehen unerwünschte Genauigkeiten an und kommen in keinem Schlaflied vor.

Der Regen, der gegen die Fenster stürzt, da haben wir ihn wieder, den lassen wir, der läßt alles in seinem unzutreffenden Umkreis, bei ihm bleiben wir, damit *wir* wir bleibt, damit alles bleibt, was es nicht ist, vom Wetter bis zu den Engeln.

So läßt es sich leben und so läßt es sich sterben und wem das nicht ungenau genug ist, der kann es in dieser Richtung ruhig weiter versuchen. Ihm sind keine Grenzen gesetzt.

Flecken

Wir haben jetzt Flecken auf unseren Sesseln. Es sieht aus, als hätte jemand gezuckerte Milch darüber geschüttet. Diese Flecken sind zu bedenken. Wer hat die Milch darüber geschüttet und wann? War es ein Gast und lief er fort, ein Kind vielleicht? Es könnte leicht ein Kind gewesen sein, wenn es auch Erwachsene gibt, die ganz gern gezuckerte Milch trinken. Und wann? Am späten Vormittag oder gegen Abend? Und wäre die Welt anders ohne diese Flecken? Das ist eine müßige Frage. Sie wäre anders. Sie wäre ohne diese Flecken. Natürlich gäbe es trotzdem die Rocky Mountains und die Catskillberge, Krankenhäuser mit Diphtheriekindern und Hoffnungslosigkeiten aller Art, das hübsche Haus, in dem Longfellow seine hübschen Töchter heranwachsen sah. Aber auch all diese in den Bestand unserer verzweifelten oder fröhlichen Gemüter längst aufgenommenen Dinge wären anders. Sie wären ohne die Flecken auf unseren Sesseln. Nicht daß sie ihre verschneiten Häupter oder was immer sie haben, anders trügen, aber sie hätten zum Beispiel eine andere Reihenfolge, die Flecken auf unseren Sesseln müßten nicht in die Hierarchie der Bestände aufgenommen werden, und das müssen sie jetzt. Und da sich diese Hierarchie ändert, ändern sich auch die Blickpunkte, von denen aus in Betracht gezogen wird, was in Betracht gezogen gehört.

Aber wo ist der Weltveränderer, das rasche Kind oder der absonderliche Erwachsene, der die Flecken verursacht? Weggelaufen oder weggeschlichen? Aus Schrecken mit dem Kopf gegen die Türbalken gerannt oder würdevoll davongegangen? Überrascht worden oder nicht? Vielleicht war es ein letzter oder vorletzter Versuch, Trost zu suchen, eher ein vorletzter. Gezuckerte Milch. Und dann kam der letzte. Der könnte Dover heißen, diese Reisen sind ja üblich. Aber die Flecken, die ge-

zuckerten Milchflecken? Die nicht. Die betreffen uns. Man
kann sie nicht einreihen und damit der Hierarchie einen der
gewissen leichten Stöße geben, die ihr nichts antun, weil sie vorgesehen sind. Die zu den einbezogenen Veränderungen
gehören wie der Tod. Zu den listigen Winkelzügen des Daseins,
für die der Raum von Anbeginn an freigehalten wird, wenn
auch manchmal zu gering bemessen. Das hat so zu sein. Wußten
Sie das nicht? Hören Sie endlich zu zittern auf. So ist das mit
Reisen oder mit dem Tod. Aber nicht mit dem Flecken auf
unseren Sesseln. Reisen oder der Tod verändern die Horizon-
tale. Wieder einer, sagt man leichtfertig und schiebt die Reihen
zusammen. Aber diese Flecken verändern die Vertikale. Die
Hierarchie beginnt zu schwanken, wenn auch nicht aus Angst.
Sie gehört nicht zu den Leidenden, die man anfunkeln kann.
Sie kann leiden machen. Sie ist blind, taub und da einsturz-
gefährdet, wo man es am wenigsten erwartet. Es dämmert,
aber die Flecken gehen nicht weg.

Vielleicht hilft es, sie zu betrachten. Sie als das Zentrum der
Erklärungen anzusehen, die nicht kommen, als ein Spiel, das
sich aufgab. Das gegen alle Erwartungen, die man ihm ent-
gegenbrachte, begriff, daß es als Spiel nicht gemeint war und
dem es deshalb nur mehr dringlich war, sich aufzugeben. Milchflecken und dazu noch gezuckert, da beginnt sich die Selbstauf-
gabe zu lohnen. Da spart man ein. Besser: da wird eingespart.
Alles was zwischen Himmel und Höllen ist und Himmel und
Höllen auch, diese ausschließenden Bereiche, die den Mund
heiß oder wässerig machen. Da bleibt nicht nichts. Nichts weckt
Aufmerksamkeit. Nur keine Aufmerksamkeit wecken. Aber
die Vertikale der Erscheinungen schwankt. Es ist eingetreten,
was nicht vorgesehen war, was das Minimum unterbietet. Die
Polizisten helfen sich gegenseitig auf, die Götter, die Selbst-

zerstörer. Aber Milch, zu der noch kam, was nicht dazugehört, und das in einem geringfügigen Maß? Auf keinen Tisch geschüttet, da gäbe es Zugehörigkeiten, sondern auf Sessel, lederartige Bezüge, eher eine Ledernachahmung. Kaum Übelkeiten erzeugend. Nicht zu bedenken. In nichts den wilden, jungen Flüssen vergleichbar. Keiner Gefahr. Wenn man sie Herumtreiber nennen könnte, aber das kann man auch nicht. Die Mehrzahl eines entfernbaren Zwischendaseins. In Worten nicht bildbar. Schon gut, schon sehr gut. Mit niemandem zu erörtern, nicht aufzuschließen. Es gibt eine Form von Bescheidenheit, die mit Bescheidenheit unverwandt ist, auch mit Unbescheidenheit. Es gibt eben unerträgliche Formen, da haben wir sie, da machen sie sich breit. Aber nicht sehr breit. Keine Lücken, die man weiterreißen könnte. Flecken, Flecken. Durch den Zustand der Trockenheit begrenzt. Einmal waren sie naß, vielleicht eben noch. Diese gewesene Nässe gibt sie der Lächerlichkeit preis. Und in dem Bereich der Lächerlichkeit wiederum nicht der Mitte, eher dem Rand. Nein, auch nicht dem Rand. Einer dem Rande nahen mittleren Zone. Immerhin. Vielleicht zählt doch nur, was der Lächerlichkeit preisgegeben ist, vielleicht beginnt erst bei ihr der geheime Herzschlag? War es nicht doch ein Kind?

Diese Kinder. Damit könnte man sich trösten. Kinder, kurz ehe sie die toten Väter finden, wie sie nachlässig über die Schwelle treten, die Blicke über die Wände gleiten lassen, die Becher mit der Stärkung, die nicht reicht, erst in beiden Händen halten, dann in einer, dann abstellen. In Sesselhöhe. Eben dorthin. Und dann noch einmal daran stoßen, ehe sie wieder nehmen, was ihnen gehört, und sich vorsichtig verziehen, Schritt für Schritt, mit dem Rücken zur Schwelle und dann darüber. Spiegelungen, ein Tanz. Gleich ist alles vorüber, die

Höhenmaße, die Zustände. Keine Zeit mehr, fortzuwischen, was verschüttet wurde. Kein Blick mehr. Die toten Väter siegen. Die Flecken auch. Wenn es so gewesen wäre? Aber wer weiß das? Die Flecken sind gelehrige Lehrmeister. Nur nicht die Trostversuche übertreiben. Höhenmaße wurde gesagt, nicht Höchstmaße. Das weiß man nicht. Man kann sich alles vorstellen. Es kann auch eine Schnecke gewesen sein. Nein, nein, eine Schnecke sicher nicht, auch kein Zaunpfahl. Aber sonst gibt es genug Möglichkeiten der Entstehung. Vielleicht sind sie überhaupt Anfänge von Vorstellungen. Weil es Anfänge nicht gibt. Diese Flecken siegen. Sie siegen auch.

Zweifel an Balkonen

Die Balkone in den Heimatländern sind anders. Sie sind besser befestigt, man tritt rascher hinaus. Aber man sollte sich vorsehen, weil die Balkone in den Heimatländern anders sind. Weil ihre Bauart Dinge ermöglicht, die auf anderen Balkonen nicht möglich wären. Weil ihre Verankerung, selbst in den schwächsten Mauern, gleichgültig, ob sie von leichtfertigen oder von ängstlichen Bauleuten zustande gebracht wurde, durchaus verschieden von der Verankerung der Balkone in den Ausländern ist. Sie ist identisch mit der gefährlichen Verankerung der Treue, die sich nicht kennt. Man tritt hinaus, die Luft umschmeichelt einen freundlich, man merkt es nicht gleich. Man tritt wieder hinaus, man merkt es noch immer nicht. Es steht mit blanker Schrift χαίφε über den Balkonen oder es steht nichts darüber als die bloße Wand, keins von beidem ändert etwas. Sie werden dadurch weder erklärt noch begriffen. Ihre Bauart tut nichts zur Sache, die Form ihrer Geländer schon gar nicht. Sie sind die Balkone der Heimatländer und das allein läßt ihre Stellung innerhalb der Balkone der restlichen Welt ahnen. Ein Acker zieht sich zur Rechten hin, aber was soll ein Acker einer Sache, die durch sich selbst bestimmt ist? Was sollen Vorstadtstraßen, Tankstellen, Ententeiche den Balkonen der Heimatländer? Alte Sagen schaden ihnen nichts, Birnbäume lassen sie gleichgültig. Es geht aus verschiedenen Auslegungen hervor, daß sie beim jüngsten Gericht gesondert aufgerufen werden und vermutlich landen sie rechts bei den Engeln, sie werden Vorwände finden. Man kann es sich gut vorstellen, wie die Balkone ineinander verkrallt zu den Engeln stürzen, liebevoll von Flügeln getragen, und man wagt nicht zu bedenken, was sich daraus ergeben könnte, in welcher Form sie daraus Nutzen zögen. Durch Namensänderung vielleicht. Himmlische Heimatbalkone oder Balkone der ewigen Heimat.

Das ist alles nicht auszudenken. Und wie sie sich verankerten. Ob die himmlischen Wohnungen, die vielen, darauf angelegt sind. Oder ob sie einfach als ein Drahtspielzeug, verkrallt ineinander wie sie sind, die ewigen Haine schmücken. Man wird sehen. Aber rechts landen sie und sie strahlen ihre eigene Sicherheit darüber schon von ferne aus. Schon jetzt, schon gestern und vorgestern. Es schmälert diese Sicherheit nicht, daß sie von woanders, von der Fremde her, als fremdländische Balkone angesehen werden könnten. Das ergibt keinen Sinn für sie. Und das macht ihre Gefahr aus. Die Kaffeegesell-schaften oder die einsamen Männer, die auf ihnen an den langen Frühsommernachmittagen Platz finden, ahnen nichts. Keine Kaffeegesellschaft ahnt auch nur, welcher ihrer Teil-nehmer am jüngsten Tag links oder rechts landen wird, kein Mann, keine Frau weiß es von sich, aber die Balkone der Hei-matländer wissen es. Ihre Schuld ist unbeweisbar, ihre Vorzüge nicht zu bestreiten. Balkon, Heimatland, Ausblick, aber immer wieder der Weg ins Balkonzimmer zurück. Obgleich unbeweg-lich, wiegen sie doch den, der sie betritt, in einer Sicherheit, die nicht zutrifft, übertragen, was nicht zu übertragen ist, spielen die jungen Tage, den jüngsten inbegriffen, als die alten Tage aus und grüßen den Vorübergehenden womöglich noch mit ihrem unverschämten χαίφε. Unverschämt, das sind sie, sie haben den Frieden für nichts gepachtet und lenken vom Den-ken ab. Und sie entstehen immer neu. Abschiede werden auf ihnen vollzogen, Häkelmuster oder Betrügereien besprochen. Niemand kann ihnen etwas anhaben, solange es gibt, was sie bestimmt: Balkone und Heimatländer. Und beides wird es immer geben, dafür sorgen die Berufenen. »Junge« rufen die Mütter überrascht und springen von ihren luftigen Plätzen auf, wenn die Söhne aus den Manövern kommen und ihre Mützen

auf die Balkonböden gleiten lassen, »Junge, daß du da bist!«
Und da sind sie dann, schon wieder auf den Balkonen. Erinnerungen werden ausgetauscht, die Balkone der Heimatländer
sind windgeschützt. »Weißt du noch, wie wir hier Halma
spielten?« Ja, Harmlosigkeiten, das ist es, Harmlosigkeiten
haben diese Balkone immer bereit, Halma und Tee, Hausauf-
gaben, die Soldatenmützen liegen unbeachtet auf ihren Böden,
die Mütter sind zufrieden. Das macht auch der Sauerstoff, die
frische gute Luft, und je seltener sie wird, desto mehr werden
die Balkone der Heimatländer daraus Nutzen ziehen.

Anders die fremdländischen Balkone. Auf sie stürzt man,
womöglich über eine Schwelle, die man nicht beachtet hat, betrachtet unsicher das ungewohnt niedrige Gitter und die fremd-
sprachigen Aufschriften der Versicherungsgesellschaften auf
den Häusern gegenüber, bekommt einen Windstoß ins Genick,
den man nicht vorgesehen hat, und zieht sich erschrocken
wieder in die Innenräume zurück, sobald immer es möglich ist,
die Höflichkeit den fremden Gastgebern gegenüber es erlaubt.
Keine Rede davon, daß man sich auf einem fremdländischen
Balkon für länger niederließe. »Ausländerbalkone« denkt
man bei sich und nichts weiter. Man hat nicht erwartet, daß
man seinen Wolfshund dorthin mitnehmen könne, daß es ihm
gestattet sei, an den fremden Gittern zu schnüffeln, sich an den
Beinen der ausländischen Gastgeber vorbei darauf zu drängen
und neugierig die fremde Luft einzuziehen. Man hat gar nichts
erwartet. Es gibt auf ausländischen Balkonen keine Enttäu-
schung, man weiß Bescheid.

Auf den Balkonen der Heimatländer sind Tiere selbstverständlich. Sie drängen sich zwischen den Blattpflanzen hindurch darauf, sie ruhen unter den Balkontischen, obwohl sie
am Tage des jüngsten Gerichts weder für rechts noch für links

vorgesehen sind. Den Balkonen der Heimatländer macht das nichts aus. Sie sind unbeteiligt. Daß diese Unbeteiligung einer Täuschung gleichkommt, fällt niemandem auf. Daß ein Wolfshund unter dem Balkontisch eines heimatlichen Balkons meinen könne, er käme in den Himmel, wer bedenkt das schon? Da sind die Balkone der Ausländer ehrlicher. Auf ihnen erwartet kein Tier die ewige Seligkeit, es sei denn ein ausländisches Tier. Da liegt dann der Fall aus den bekannten Gründen anders. Nur ausländische Lämmer könnten auf ausländischen Balkonen auf die Idee kommen, daß ihnen die ewigen Weiden sicher wären. Weshalb, wissen wir ja. Vermutlich haben wir lange schon begonnen, zuviel zu wissen, zuviel über abwegige Dinge nachzudenken wie etwa über die Balkone der Heimatländer. Niemand hat es von uns verlangt. Unterscheidungen von Aus- und Inländerbalkonen führen zu einer Zersplitterung, deren Ausgang nicht abzusehen ist. Wer, der einmal damit begonnen hat, sollte noch unbefangen, an ein Balkongitter gelehnt, Sonnen- oder Mondaufgänge auf sein Gemüt wirken lassen?

Die Sonne der Heimatländer, der Mond der Heimatländer. Das führt weit. Es zeigt, daß die Fähigkeit, zu unterscheiden, nicht geweckt werden sollte, wenn sie nicht schon wach ist. Bis zu Balkonen dürfte sie nicht vordringen, da liegen sicher ihre Grenzen. Aber können wir zurück? Kann, wer einmal die Balkone der Heimatländer als die Balkone der Heimatländer erkannt hat, diese Erkenntnis abweisen? In ihre Grenzen rufen? Oder auch nur in seinem Herzen bewahren? Das ist zu bezweifeln. Nicht einmal das sichere Ende zum Beispiel im Abriß befindlicher Balkone oder Häuser mit Balkonen kann ihn beruhigen. Er wird unsicher bleiben, er ist in seinem Heimatland.

»Ich lieb das schöne Örtchen, wo ich geboren bin«, das hat er in der Schule gelernt. »Dort blüht mein junges Leben, von Lieben rings umgeben, in immer heiterm Sinn.« Später kam leider der Gedanke an die Balkone dazu. An die Undurchschaubarkeit der Balkone der Heimatländer. Seither hat sein Sinn die Heiterkeit verloren. Lauben gingen noch an, aber mit Lauben hat er es hier nicht zu tun. Er hat es mit Balkonen zu tun, und das beschwert ihn, verfinstert seine Laune. Er kann auch mit Freunden nur mehr wenig besprechen. Zuerst lachten sie oder wurden ernst, erörterten jedenfalls den Gegenstand einige Nachmittage lang. Dann wurden sie ungeduldig. Er ist jetzt mit seinen Balkonen allein, mit seiner verzweifelten Erkenntnis, mit seiner messerscharfen Unterscheidung, die ihn nicht mehr ruhen läßt. Wann kam sie, wann fiel es ihm ein?

Die Balkone der Heimatländer. »Unmaßgeblich«, hat ihm einer entgegnet. Das Wort geht ihm nicht aus dem Sinn. Sind Balkone nicht mehr oder weniger eine Maßgabe? Nach Maß zugegeben, um die Heimat besser betrachten zu können? Und können Maßgaben unmaßgeblich sein? Nein, nein, er hat Recht, aber dieses Recht macht ihn verlassen. »Du meinst dich selber«, sagte ihm einer. Sich selber? Gott bewahre. Was hat er mit Balkonen gemeinsam? Das ist zu weit gegriffen, aber so weit griffen sie. Er wird sich keinem mehr anvertrauen. Er ist kein Balkon, soviel ist sicher, und schon gar nicht der Balkon eines Heimatlandes. Er ist unbegehbar und rechnet nicht damit, rechts zu landen, wenn der jüngste Tag anbricht. Er macht den Tieren nichts vor, er bedenkt sie. Er ist nicht jemand, den man mit vollem Recht treten kann und der sich doch engelhaft gebärdet. Er hat Fehler, aber nicht diese, er gewährt keine täuschenden Ausblicke. Sagen und Birnbäume lassen ihn nicht unbeeinflußt. Weltrichtungen sind ihm nicht gleichgültig. Er ist anders als die Balkone der Heimatländer. Er gibt sich nicht zufrieden.

Wie aber, wenn er es doch wäre? Er selbst der Balkon eines Heimatlandes in einem Heimatland. Er wird verreisen, um dieser Frage auszuweichen, er wird weit weg fahren. Man wird vielleicht mit ihm rechnen können, aber nicht so, das wird er zu vermeiden wissen. Er wird in der Ferne sein Unglück suchen, da, wo es hingehört. Nein, er selbst ist es nicht. Aber wer ist es, wer sind sie, die Balkone der Heimatländer, die großen unscheinbaren Täuscher? Soll er sie lassen, weiter täuschen lassen? Immerhin nur den, der getäuscht werden will. Oder getäuscht werden soll. Mit dieser Frage wird er sich weiter befassen, er wird den Himmel absuchen. Er wird darauf kommen, aber nicht hinein. Er macht kein gemeinsames Spiel mit den Balkonen der Heimatländer. Sollen sie die Engelsflügel, die himmlischen Hausmauern, die ewigen Heimatländer besetzen. Er wird nicht dabei sein.

Die Liebhaber
der Westsäulen

Der Schnee auf den Kapitellen der Westsäulen, nur Außenseitern unerträglich. Den kleinen Außenseitern, die wir ohnehin
weglassen wollen, die den Fortgang verhindern. Besser auf der
Seite der Gekaderten bleiben, die der Schnee auf den Kapitellen kälter läßt als er ist. Der Schnee. Er ist zu wenig kalt.
Wäre er kälter, er ließe den Westsäulen die Form, festigte sie,
umschlösse sie für immer und verginge nicht schon unter der
schwächsten Sonne. Aber so wie er ist, läßt er nur Sprünge
zurück, beschleunigt die Untergänge, die den Gekaderten nichts
ausmachen, sondern wieder nur den Außenseitern, die den
Beginn der Unerträglichkeit erfunden haben. Ratlos umlaufen
sie die Säulen, die die andern umgehen, um entzückt die alten,
jetzt mit Hafer bebauten Schlachtplätze zu betrachten, sich
gegenseitig ihre wohlklingenden Namen zuzurufen, sich je nach
Temperatur die Hände zu reiben oder die Schultern zu klop-
fen, während die Außenseiter, die Ratlosen, bleiben und dem
Hafer weiter unten wenig Blicke schenken. Der wird blühen,
den kennen sie. Ihnen blüht er nicht und deshalb kennen sie
ihn. Den schönen Hafer. Blüht er überhaupt? Stroh blüht auch
nicht. Sie wenden sich ab. Sie gehen gesondert in ihre alten
Orte zurück. Aber es sind gute Leute unter ihnen. Maler,
denen das Gelb auszugehen beginnt, Strukturentwerfer für
kleinere Stallungen, die ihren eigenen Kopf haben, Spengler,
Privatleute, Jagdgegner, alles mögliche. Gemeinsam ist ihnen
nur, daß sie die Westsäulen im Kopf haben, die alten ge-
sprungenen Westsäulen, den flachen Hügel, und daß der Schnee
sie nicht störte, wenn er nicht auch auf die Westsäulen fiele.
Die andern, lassen wir sie ruhig die Gekaderten heißen,
stört der Schnee im allgemeinen, auch wenn sie das Gegenteil
behaupten, auf den Westsäulen stört er sie nicht. Das sind die
Unterschiede, sie sind schwach, wir wollen es zugeben, aber

wegzureden sind sie nicht. So versucht man sie zu verschweigen,
läßt den Maler mit dem unvollständigen Farbkasten ruhig
umkehren, die Spengler und die Jagdgegner und alle andern
auch. Die kann man ruhig lassen. Die tun sich nicht zusammen.
Nach dem Gelb wird dem Maler auch das Rot ausgehen, dem
Spengler vielleicht bald die Nägel, danach kommt schon das
Blech, und den Privatleuten und Jagdgegnern ist das meiste
ohnehin schon ausgegangen. Nein, wegen solcher Leute muß
man sich keine Sorgen machen, ihre Westsäulenliebhaberei
spricht für sich selbst. Für ihre Köpfe wäre jedes Kopfgeld zu
schade. Lassen ist das beste. Sie sterben ja auch, während die
andern nur singen »Gestorben muß sein« und sich dann schlafen legen, aber nicht für lange. Wer nicht singt, sondern stirbt,
den muß man nicht einmal einordnen, Westsäulenliebhaber ist
eine gute gemeinsame Bezeichnung, sie wird so gut wie nicht
vorhalten und alles ist wieder in Ordnung: die Sicht auf die
gründlich bebauten Schlachtfelder, die leicht und angenehm
abwärts führenden Wege und auch die anderen bezeichnender-
weise immer in den Hintergrund führenden Wege in die Wohn-
orte der Ratlosen, der Nichtsänger, sind nicht mehr durch
schwarze, vereinzelte und womöglich gebückte Gestalten
gestört. Ihre Farbkästen trocknen dann aus, ihre schäbigen
Blechreste verrosten, ihre Jagdgegnereien schlafen ein. Da sie ja
nicht singen, für immer. In ihren öden Zimmern wächst der
Schwamm. Ihre zweifelnden, oft schmerzlichen, oft ungebär-
digen Blicke auf den Schnee der Westsäulen erübrigen sich
dann, ihre sorgsamen und verängstigten Schritte rund um die
Sockel enden und es werden keine Spuren zurückbleiben. Nur
ein Gran Geduld, nur eine Weile noch und alles ist in Ordnung.
    Aber vielleicht wäre es doch geboten, solange diese Weile

dauert, vorsichtig zu sein, sie unauffällig zu beobachten, zu sorgen, daß sie vereinzelt bleiben. Keine schwierige Aufgabe, vor allem nicht, wenn man sie aufteilt, sich in Gruppen zusammentut, geordnet vorgeht. Für alle Fälle. Sicher könnte man es auch rascher zuwege bringen, die ohnehin schon abbröckelnden Westsäulen umlegen und sie in die Haferfelder rollen lassen, aber das wird kaum nötig sein. Wenn der Hafer zu wachsen, hochzustehen und zu blühen beginnt, sind die Liebhaber der Westsäulen womöglich schon darunter, vermengt mit den alten ehrlosen Resten der unfreiwilligen Schlachtenteilnehmer, der Ausgehobenen. (Die andern liegen woanders, ihr Andenken wird mit dem bekannten Vers besungen.) Und Westsäulen ohne Westsäulenliebhaber sind ungefährlich. Sie stützen ohnehin nichts als den Himmel, der sich seit langem schon allein abgesichert hat. Sie sind Erinnerungsstützen ohne Erinnerung, behindern den Straßenbau und könnten auf spielende Kinder fallen. Das ginge den anderen, den Gekaderten, gegen den Strich. Sie lassen deutlich erkennen, daß ihr Herz der Jugend gehört und vereinigt damit dem Straßenbau. Der bedachten Aufteilung des Geländes. Die alten Schlachtfelder sollen freilich geschont werden, sind außerdem bebaut und lockern die Landschaft auf. Sie erinnern an etwas und es ist gesichert, woran sie erinnern. Sie stehen nicht in die Luft, sondern liegen flach und in die vereinbarten Fächer der Erinnerung eingegliedert vor aller Augen. Was vom Himmel fällt, schadet im schlimmsten Fall dem Hafer und das nur in den Jahren, die als schlecht vorausgesagt sind, ihnen nicht. Den Westsäulen hingegen schadet, begonnen mit dem lächerlichen Schnee, dem unschädlichen, der für Kinderherzen wie geschaffen ist, alles. Ob Frühjahrsregen oder Sommerhitze, die doch die Früchte der Erde hervorbringen helfen, ihnen schaden sie. Kann man nicht mit gutem Gewissen von ihnen sagen, daß sie Schädlinge sind, da ihnen doch der so nützliche wie unerschütterliche Reigen der Natur schadet? Und Schädlinge sind die, die ihnen anhängen.

Westsäulen. Weshalb wurden sie nicht unter einem anderen Himmel gebaut, der keine Macht gehabt hätte, das, was sie stützen, zum Einsturz zu bringen und sie sinnlos wie Krückstöcke, zerbröckelnd stehen zu lassen? Sie bilden auch keine natürliche Grenze wie Flüsse zuweilen, sie stehen nur da, sie werden definiert von ihren Zwischenräumen, die unverwendbar sind, und von sonst nichts. Eine Art von Idiotie muß sie hervorgebracht haben, und das ist ein schwer zu ertragender Gedanke für die Frohgemuten unter denjenigen, deren Ahnen diese Gegend bevölkerten. Kann man ihnen vorwerfen, daß sie sich zu Kadern zusammentun, daß sie vorgehen wollen, wie auch immer?

Die Liebhaber der Westsäulen werden dann zu den Verteidigern der Westsäulen, das ist ein Abstieg. Sie sind Abstiege gewohnt, aber Abstiege haben ihre natürliche Begrenzung. Von einem gewissen Punkt ab kann man sie ruhig als Untergänge definieren. Man kann also mit diesen kleinen Abstiegen ganz zufrieden sein, einer folgt dem andern, auch Niedergang ist ein gutes Wort. Sie sind obstinat, das schadet ihnen, ihre Vereinzelung schadet ihnen, ihr schleifender Gang, jeder zweite zieht die Füße nach. Nicht einmal ihre gemeinsame Liebe zu den sieben Säulen können sie in eins bringen, austauschen oder auch nur miteinander erörtern. Sollen sie ruhig weiter kommen und mit ihren ängstlichen Blicken die Kapitelle schleifen, den Schnee darauf, die Risse, die sich nach unten hin fortsetzen, sollen sie ruhig noch eine kurze Weile umwandern, was fallen wird. Die Liebhaber der Westsäulen sind verloren.

Der Gast

Adolphe besucht seine Tanten zweimal im Jahr. Es gibt Leute, die meinen, er besuche sie zweimal in der Woche, aber das ist ein abwegiger Gedanke. Er besucht sie zweimal im Jahr. Er tut dann allerdings so, als besuchte er sie fast täglich, nimmt ihren Haustorschlüssel mit, den er auch sonst öfter bei sich trägt, macht sich gleich nach der Schule auf den Weg, durchquert den Vorgarten, springt rasch die vier oder fünf niedrigen Treppen hinauf, schließt auf und ist bei ihnen. Er bringt ihnen selten Blumen mit und wenn, so nur violette, einen dünnen Strauß für beide. Man kann sagen, daß das alle eineinhalb Jahre geschieht. Noch seltener bringt er Ansteckblumen. Er geht nicht ungern zu ihnen. In dem Flur, der durch die verschiedenfarbigen Fenster dunkler wirkt, als er wirken müßte, ruft er sie mit lauter Stimme. Er umarmt sie, er erzählt, was der Vormittag gebracht hat. Er geht mit seinen Erzählungen nie weiter zurück. Er sagt: »Herr Meyers hat sich erkältet. Als er in der dritten Stunde über die Stoiker sprach, bekam er kaum Luft. Das war so.« Und er ahmt Herrn Meyers nach, der sich erkältet hat. Oder er sagt: »Anne hat aus Penzance geschrieben. Bin neugierig, wie lange sie es noch in dem Nest aushält. Der Brief steckte heute morgen in der Tür.« Anne ist seine Schwester. Dann sagt er wieder: »Die Stoiker sind schwer zu behalten. Sie liegen mir nicht.« Adolphe ist kein schlechter Unterhalter. Er nimmt zwischendurch seine Augengläser ab, reibt sie blank, kostet den Tee und bewundert ihn. Er hört auf Fragen. Er sagt, er könne sich gut vorstellen, daß man von Kopfschmerzen geplagt sei, halbseitigen vor allem, er könne es sich gerade heute gut vorstellen. Die Luft sei so heute, auch in den Klassenzimmern. Es hänge wirklich nicht unbedingt mit den feuchten Pelzmänteln im Flur zusammen, auch nicht mit der Nordostseite. Heute nachmittag werde er sich mit den Epikuräern befassen, er denke, er könne da mehr Zugang gewinnen, er könne auf diese Weise vielleicht sogar die Stoiker besser behalten. So bringt er den Nachmittag in die Unterhaltung. Der Nachmittag, sagt er, komme ihm immer wie eine Art Zweifel am Nachmittag vor, während der Vormittag ihm oft wie eine Art Glauben an den Vormittag erscheine. Das sei heute auch nicht anders. Man sieht, er nimmt seine Tanten ernst, er mutet der Unterhaltung mit ihnen einiges zu. Aber er treibt die Zumutung nicht zu weit. »Stoa«, sagt er plötzlich, dehnt das a übermäßig in die Länge und lacht. Er möchte wissen, wie es Anne in Penzance gehe, sagt er, mit den Vormittagen und den Nachmittagen. Anne sei blond und das ändere manches, könne Anschauungsfragen bis in ihr Gegenteil treiben. Und dann sei auch Penzance wirklich sehr westlich. Er sieht lächelnd auf die Nordostfenster im Erker. Nein, nicht einmal der Nachmittagssonne zuliebe dürfe man den Westen zu weit treiben, sagt er. Aber Anne werde schon wiederkommen. Ja, er vermute das. Penzance sei einfach eine Übertreibung. Sei übertrieben, sicher. Was Adolphe da sagt, klingt abschließend, aber als wollte er seine Tanten nicht erschrecken, nicht einmal mit der Vermutung eines zu raschen Aufbruchs beunruhigen, lehnt er sich zurück und knöpft zwei Knöpfe seiner Weste auf. Und er kommt auch gleich auf seine Vorliebe für Westen zu sprechen, einfarbige, mehrfarbige, helle und dunkle. Er hat eine Auswahl davon. Und er pflegt sie. Wer eine anständige Weste trage, könne sichs sogar leisten, ohne Schuhe zu gehen, sagt er. Aber es sei natürlich unbequem. Adolphe verstummt für einen Augenblick. Er hütet sich davor, gerade dieses Thema zu weit zu treiben. Er sagt es sogar. Jedes Thema habe seine Gefahren, sagt er. Ob sie nicht auch schon diese Erfahrung gemacht hätten? Das interessiere ihn ernstlich. Man könne ganz sicher auch

Erfahrungen machen, ohne sie dafür zu halten. Das sei vielleicht die ökonomischere Art, Erfahrungen zu machen. Zu guter letzt profitierten die Philosophien davon, die man dann in der Schule vorgesetzt bekäme. Die gekürzten Fassungen. Die Interpreten. Herr Meyers. Adolphe wird etwas unruhig. Er scheint der Gefahr, die jedes Thema bedeutet, nicht rasch genug ausgewichen zu sein. Er nimmt noch Tee. Er beginnt, die Farben der Fensterrahmen zu loben. Abgeblättert oder nicht, sagt er, sie paßten. Gebe es nicht genügend Fensterrahmen, die beklemmend wirkten, kalt? Er habe das besonders bei Schiffsbesichtigungen beobachtet, Anne auch, damals als sie noch beisammen waren. Denn Anne sei jetzt natürlich schon sehr lange weg und wer weiß, was sie in Penzance für Fensterrahmen habe. Ja, das sei es. Nicht daß Anne sich nicht in jedem Rahmen gut ausnehme, darum gehe es nicht. Adolphe beginnt zu husten, bedankt sich dazwischen höflich für angebotene Hilfen, trinkt etwas Wasser, hustet stärker, nimmt ein Stück Zucker und bedankt sich wieder. Aber er sieht ärgerlich aus. Er springt auf, geht rasch ans Fenster, stützt sich etwas auf die Fensterbank und sieht hinaus. Man merkt es ihm an, daß er angestrengt hinaussieht. Es sei lächerlich mit diesem Husten, sagt er und wendet sich wieder ins Zimmer zurück, aber keine Sorge, es werde sich schon etwas dagegen tun lassen. Er dürfe eben nicht von Booten sprechen, Bootsbesichtigungen, vielleicht auch nicht von Penzance. Außerdem habe er zu Hause ganz gute Tropfen, auch ganz allgemein beruhigend. Adolphe ist jetzt wieder gefaßt. Menthol, sagt er, und am besten mit Milch. Ob man sich das vorstellen könne: Milch mit Menthol? Ihn jedenfalls scheint diese Vorstellung nachsichtig zu stimmen. Er lächelt. Er setzt sich noch einmal nieder und bemerkt, daß Mädchen jetzt häufig Melissa genannt würden wie die eben geborene Schwester eines Freundes. Eine winzigkleine Melissa nach der anderen. Bei Knaben stehe eine solche einseitige Vorliebe noch aus. Aber die Sache sei schon ein Studium wert. Diese Sprünge von Namen zu Namen. Mit Schwerpunkten, ohne Schwerpunkte. Und dann gerade Melissa. Die Leute zerbrächen sich über ihre Namensvorlieben viel zu wenig den Kopf. Und das könnte doch aufschlußreich sein, vor Gefährdungen schützen. Man bekomme manchmal tollkühne Ängste, sagt er. Wie wenn ganz allgemein die Namensungleichheit verschwände? Unwahrscheinlich vom Standpunkt der Statistiker, aber doch höchst möglich. Wie Karnevalsgilden. Man hätte doch einmal vor Entstehung der Karnevalsgilden einen Statistiker fragen sollen, ob eine Möglichkeit ihrer Entstehung bestünde, ob es Denkweisen gäbe, die sowohl Sache als auch Bezeichnung begünstigten. Und zwar in einem. Was meinten sie, daß er gesagt hätte? Es gebe keine, hätte er gesagt. Er, Adolphe, habe nicht im Sinn, Statistiker zu werden. Um genauer zu sein: er hätte es daraus verbannt. Obwohl er sich darüber klar sei, daß sein Sinn unerwartet wieder umspringen könne. Hin zur Statistik. Wachstum oder Einschränkung, Verkümmerung, sagt Adolphe, natürlich sei es leicht, mit solchen Alternativen Zustimmung zu erregen wie mit der zugegebenen oder unzugegebenen Liebe zum Ganzen. Adolphe lacht jetzt, als wäre diese Liebe bei ihm kaum zu vermuten, er lacht widerwillig, es ist eine Art von übereiltem Lächeln und er hat es eilig. Er hat es nicht gern eilig, es geht deutlich gegen seine Natur. Adolphe möchte gezeichnet werden, und er ist sich darüber klar, daß die Eile und das Lächeln dem gezeichneten Porträt Schaden zufügen können. Adolphe hat seine Vorstellungen von gezeichneten Porträts und er hält sie nicht nur für die seinen. Er sah einmal eine Zeichnung von einem, der eine

Kerze ausblies, sie war mißglückt. Wer Lichter löscht, hat es eilig, er hat es sogar sehr eilig. Der blinde Eifer hat es mit dem Eifer zu erblinden zu tun. Nein, Adolphe weiß sehr gut, daß er es nicht eilig haben sollte. Einmal wird er gerade hier bei seinen Tanten den treffen, der ihn festhält. Der es nicht lassen kann, zu stricheln, während er ihn betrachtet, ihn, Adolphe, mit ausgestreckten Beinen oder lächelnd am Fenster. Bei den Erzählungen über Herrn Meyers und die Philosophie. Über Melissenvornamen und Milch mit Menthol. Und so fort und so fort. Das müßte alles daraus zu ersehen sein. Ein Blinzeln, das sich nicht nötig hat. Der ganze Anspruch, aber die nicht, denen davon die Hölle heiß wird. Die nicht, die nicht in Frage kommen. Keine Stiftergestalten, auch nicht ganz unten, auch nicht unter dem Rahmen verborgen, sobald es zum Rahmen kommt. Ja, ja, so müßte es sein. So wird es auch sein. Adolphe fühlt sich plötzlich ermüdet, verbirgt ein Gähnen. Er möchte wieder von Anne und Penzance beginnen, aber er wird es nicht tun. Seine Schwester Anne soll aus dem Spiel bleiben, wenn das Spiel müde wird. Er ist ärgerlich. Es war schon immer so. Es ist immer so. Es ist immer der Gedanke an sein eigenes Bild, der das Ende einleitet. An das Bleistiftgestrichel, das ihm gewachsen sein soll. Er nimmt einen Likör. Und noch einen. Er weidet sich an dem verzweifelten Geschmack, der ihn fort-treiben wird. Seine Vormittagsgeschichten sind überdeckt, seine Nachmittagsgeschichten auch. Der gute Tee. Er verabschiedet sich von seinen Tanten. Er sagt nicht, daß er wiederkommen wird, das sagt er nie. Hingegen sagt er und bemüht sich, seine Hast zu verbergen, er hoffe, daß sie noch einen hübschen Nach-mittag hätten. Sicher im Garten oder vielleicht doch lieber drinnen. Er hoffe ernstlich, er wäre nicht zu lange geblieben. Aber die Fensterrahmen könne er nicht genug loben, wirklich

nicht. Er wünschte, er fände überall, wo er hinkäme, solche
Fensterrahmen. Die seien tatsächlich eine Lebenshilfe. Könnten
einem vor allem möglichen bewahren. Er lacht. Tatsächlich.
Das Unterschätzte sei jedenfalls ein Thema. Er werde versuchen, es in die Lehrfächer zu mengen. Möglichst unmerkbar
natürlich. Er lacht wieder. Hatte er nicht noch etwas? Nein,
natürlich nicht, das seien ja die Blumen, die er mitgebracht habe
und die blieben hier. Es sei wirklich fast jedesmal dasselbe. Fast
jedesmal denke er, er hätte vergessen, was er mitgebracht
habe. Er sei unmöglich. Und er lacht noch einmal. Er kann
jetzt ruhig lachen, verzerrt, glucksend, grimassierend. Der ihn
festhalten sollte, der Strichler, ist nicht gekommen. Und er
kommt auch nicht mehr. Es war wieder vergebens.

Ambros

Ambros steigt unter die Stufen. Bemüht sich, die Stufen mit einem Hammer festzunageln, eine davon war locker. Er hämmert, hat das Gesicht erhoben, kein Freund stört ihn, fragt ihn, woher er kommt, wohin er zu gehen beabsichtigt. Seine Freunde sind alle unter die Erde gefahren, es soll dort ein Fest sein, aber er ging nicht mit. Es ist ein feuchter Tag und von dort unten ist erst einer zurückgekommen. Er ging vorbei, warf einen Blick über den Zaun und rief, es hätte sich nicht gelohnt außer zu Beginn. Und wegen eines Beginns unter die Erde zu fahren, lohne sich erst recht nicht, das Heraufkommen sei noch mühsamer als das Hinunterfahren. Wenn er es richtig bedenke, sei auch der Beginn, soviel rief er und entfernte sich rasch. Wenn ich es richtig bedenke, denkt Ambros. Soviel und nicht weiter. Wenn ich es richtig bedenke. Und noch einmal. Aber nie weiter. Wenn er es richtig bedenkt. Er hat drei Nägel zwischen den Zähnen und hämmert. Manchmal klingt es, als schlüge er auf Erde. Auf die, von der sie reden. Oder unter der sie reden. Nach einer Weise oder nach der andern, eine ist es immer. Immer die, die er sich müht zu verstehen, wenn er sie nicht versteht, und nicht zu verstehen, wenn er sie verstanden hat. Wie ihre Tänze. Alles am Rand der Gewalt. Nicht einschüchtern lassen, hat ihm einer gesagt, welcher nur? Der sich nicht erinnert, hat die Wahl. Der ist gut, der die Wahl hat, der liebt keinen mehr. Keinen mehr als den andern, ein Gerechter. Wer sagt das von ihm? Das soll einer versuchen. Einer von den Aufrechten mit den Lunten zwischen den Zähnen. Kommt keiner mehr vom Fest? Das müßte jetzt allmählich am Ende sein. Macht sieben mal fünf. Macht drei, dazu die Auffahrt. Die Hinauffahrt. Umsonst ist die nicht für euch, was meint ihr, wie ihr die mit Kippen beladet, unter Druck setzt, alles mögliche. Mit euren Affengewichten, he du! Ja, dich hab ich gemeint. Und dich. Dich auch. Da soll doch einer, auch noch die Überraschten spielen. Bei uns ist Feierabend, da lohnt sich heute nichts mehr. Die dachten wohl, die könnten hier sitzen bleiben. Das wären mir Denker, o ja, das sind mir welche. Und wo habt ihr den Kleinen von unlängst gelassen? Der kommt nicht wieder? Hatte wohl genug von euch, was tut er? Hämmern? Hämmern, da oben. Der ist gut, der Kleine. Der hämmert, das soll er nur. Und wenn er müde wird, wohin legt er sich dann? Ins eigene Treppenhaus unter die Stufen wie die Söhne im Märchen? Ambros möchte hinaus aus dem Treppenhaus, dem Vorhof, dem Vorgarten, an Vater und Mutter vorbei den andern entgegen, die stumm gemacht werden sollen. Er möchte rufen: Kommt! Kommt alle zugleich, steckt endlich eure Köpfe über den Sand, ruft mich zusammen! Das werden sie auch, sie werden kommen, er weiß es. Dieses Fest muß ein Ende haben, weil es kein Fest ist. Nur eine Marotte, in die sie sich hineinsteigern, er will es ihnen sagen. Wie Löwen und Wilde will er sie auffordern: Kommt. Laßt euch nicht seichte Stellen in eure Schreie schieben, die sind nicht von euch, ihr wißt es. Der nette Kleine mit dem Zebrahut, der bin ich nicht und der ist keiner von euch. Keine Bank da unten ist für euch gemacht. Es sind Materialbänke, Materialtische und der Wein ist auch fürs Material, Böden, Wände, Türen, Decken, Fenster und Fensterbänke. Damit das Material ins Freie schauen kann, damit sein Blick richtig zurückgeworfen wird, quer durch, das Bild nicht auf dem Kopf, auf dem es steht, das erdige Freie da unten, das vorgetäuschte Licht, die Biergärten mit den Schächten hinauf. Laßt euch nicht übertölpeln, gebt den Anspruch nicht auf, werft ihr hin, was sie will, kommt!

Hier oben ist es anders. Hier blitzt es weiß und silbrig, hier müßt ihr eure Nägel nicht mehr aus den Zähnen nehmen, für keine Silbe mehr, die ihr nicht wollt. Hier seid ihr freigegeben, könnt Stufen hämmern, so wie ich es tue, oder sonst etwas, alles mit Nägeln. Das wird gut für euch. Der Himmel ist hier echt, nicht die gekräuselte, gescherte Wolle von da unten, laßt euch auf nichts ein, die Nägel sind auch gut und mehr sage ich nicht.

Ob die kommen? Ob sie sich nicht von den frischen Heiden da unten abhalten lassen, diesem heuchlerischen Farbengemisch, ihrer vorgetäuschten Jugend? Ob sie nicht aufgeben angesichts der Späße, die die Schankwirte dort für sie bereithalten, der Pfennige, die für die Auffahrt verlangt werden? Das ist alles die Frage. Ambros. Und wie heißt dann der nächste? Geht es nach Noten, nach den Sechzehnteln, Vierteln, Achteln, nach dem Viererprinzip oder wonach? Wonach geht es? Ob sie ihn hämmern hören? Er möchte die erdigen Laute – längst klingt nichts mehr nach Holz – so wild wie still machen. Zu Zeichen machen. Nichts preisgeben, hört ihr, alles für euch behalten. Aber die Stufen sind bald fest, sein Elternhaus ist dann intakt, er kann dann keinen Laut mehr von sich geben. Wenn alles seine Ordnung hat, wird er nicht mehr gehört. Dann qualmt es, rauscht es, schnarrt es, dann hämmert es nicht mehr.

Dover

Wult wäre besser als Welt. Weniger brauchbar, weniger geschickt. Arde wäre besser als Erde. Aber jetzt ist es so. Normandie heißt Normandie und nicht anders. Das Übrige auch. Alles ist eingestellt. Aufeinander, wie man sagt. Und wie man auch sieht. Und wie man auch nicht sieht. Nur Dover ist nicht zu verbessern. Dover heißt so wie es ist. Von diesem, wie viele sagen, unbeträchtlichen Ort sind alle Bezeichnungen und das, was sie bezeichnen, leicht aus den Angeln zu heben. Delft, Hindustan, auch beyond. Obwohl beyond kein Ort ist. Oder wahrscheinlich keiner ist. Aber Dover, beharrlich und sehr am Rand, nützt seine Macht nicht. Das eben ist sein Gütezeichen. Wer dort umsteigt, sieht sich flüchtig um und bemerkt nichts. Dover, unbestechlich und still zwischen Fallstricken und Ungenauigkeiten, macht nicht viel von sich reden. Kreidekliffs und ein oder zwei Schlaflieder aus ein oder zwei Kriegen: man kann die Bescheidenheit nicht weiter treiben. In Dover zugrunde zu gehen ist fast so leicht wie in Kalkutta mit seiner Pest und seinem schlecht erfundenen Namen, seinem heißen Rauch. Man kann in Dover gebückt gehen lernen, toben lernen, hüpfen lernen wie überall. Aber nur von Dover aus bleibt es dem, der es beherrscht, ohne Anspruch klar. Er kann später umziehen, Karussells betreiben, Schreibstuben einrichten – was er in Dover aufgeschnappt hat, geht ihm nicht verloren, was er in Dover geworden ist, ein Gebückter, ein Wüterich, ein Clown, macht ihn unschlagbar. Annie zum Beispiel, die in Dover nur das Sabbern gelernt hatte, weil sie früh fortkam, beherrschte es noch in Denver, wo sie mit neunzig im Irrenhaus landete, in einem Maß, das die Pfleger vor Neid und zorniger Bewunderung beim Umbetten zittern ließ. Und noch während sie zitterten, merkten sie, daß ihr Zittern nur mit seiner glanzlosen Bezeichnung übereinstimmte und nicht mit dem, was es war. Keiner von ihnen hatte es in Dover gelernt. Immerhin bekamen sie eine Ahnung. So verbreitet Dover die genauen Ahnungen. Weder Luft noch Wasser kann es daran hindern, die Erde schon gar nicht. Und auch nicht seine eigene Kreide. Dover kann sich auf Stimmungen einlassen, ohne daß sie ihm schaden. Auf kleine weiße Gitterbetten. Mit Jonnys darinnen, mit rotbäckigen Marys, Dawns, Deans. Mit allem, was auf beyond angelegt ist. Sogar auf Farben im allgemeinen, so wenige es sind. Aber Dover verbreitet keine Farbenlehre, kein Wissen. Die Pfleger in Denver werden nie erfahren, was sie zittern ließ. Die wenigen Seeleute, die in Dover aufgelaufen sind, wissen nicht, womit sie, wenn sie das nächste Mal an entfernteren und wahrscheinlicheren Orten stranden, die verzweifelte Bewunderung ihrer Gefährten verdienen.

Wer an einem trüben Sonntag gern mit Marlowe schwätzen, Wilde auf die Leier treten oder sich ein Haus im Tudorstil zeichnen möchte, eins zu eins, sollte sofort Dover ins Auge fassen. Er wird dort Marlowe nicht treffen, die Leier von Wilde nicht auffinden, den Tudorstil bald für unerheblich halten. Er wird seine Wünsche rasch und genau zusammenfassen, er wird mit Kieseln spielen wollen, er wird sich einen Kieselspielplatz einrichten, ziemlich hoch oben, nahe den Kliffs, er wird lange brauchen, aber er wird es wie kein anderer lernen, mit Kieseln zu spielen, ihnen mit Fingern und Füßen beizukommen, sie zu bändigen. Er wird der Kieselspieler werden, von dem die Welt spricht. Früher als Annie in Denver wird er unschlagbar sein. Dover hat seine Wünsche zu sich gebracht, Dover wird sie zu sich gebracht haben, sagen wir. Oder zur Ruhe. Kiesel zu Kiesel. Seht ihn dort oben, wie er sich zu ihnen bückt. Zärtlich wie kein anderer. Er hat recht.

Außerdem weiß jedermann, daß man in Kreideläden die

Welt kennenlernt. Das ist nebenbei gesprochen, aber auch das Nebenbeisprechen will gelernt sein. Und wer es nicht in Dover gelernt hat, wird es schwer damit haben. Er wird trotz aller Bemühungen immer wieder ins Hauptsächliche zurückfallen und es wird ihn bedrücken. Dann trifft er den, der in Dover auf der Klippschule eine Rede auf König Artus Tafelrunde halten sollte und es nicht zustande brachte, der nie mehr aufgerufen wurde und deshalb nebenbei zu reden begann. Über Zwischenräume, Mützenkordel, uninteressantes Zeug. Der schlägt ihn für immer. Aber sie lassen sich aufeinander ein, wenigstens etwas. Dover bleibt im Spiel.

Weshalb betrachten wir unsere Augenblicke, wenn nicht in Dover? Weshalb schätzen wir sie hoch oder gering ein, lassen sie uns stehlen oder nicht? Und wie? Wie bestehst du einen Augenblick, der noch vor dir liegt und doch schon ein für allemal verloren ist? Von den gewonnenen, die hinter uns liegen, wollen wir schweigen. Wie verlernen wir es, unlängst und später zu sagen, eben noch und gleich? Wie, wenn nicht hier? Alles in Dover. Dover kennt die Vielfalt der Disziplinen, die den Augenblicken dienen. In der bewegten Luft über den Kliffs schwanken wachsend die Fakultäten, die Vorder- und Hintereingänge, Türme und Flachbauten, Camps, Verstecke, Fluchtmöglichkeiten. Hier kann man seine Träume ein- und ausschulen und in eigens dafür neugegrabenen Brunnen untergehen lassen. Hier ist man sich darüber klar, daß was attackiert wird, immer der Augenblick ist. Die Bezüge zwischen Krummgehen, Schiefgehen und Geradegehen sind hier richtig gesetzt. Willst du mehr?

Nein, nein, es soll kein drittes Schlaflied auf Dover werden. Das war immer schon ein Weg zu den Hekatomben, und die Hekatomben läßt Dover aus. Es setzt auf geringe Mengen, auf die geringsten, auf die raschen Entwertungen.

Und wie ist es mit den Freundschaften, die in Dover geschlossen werden? Halten sie stand oder verflüchtigen sie sich angesichts der bekannten Meßbarkeiten? Es ist so oder so. Dover setzt nicht auf Freundschaften. Es hat seine Sabberer, seine Seilspringer, seine Kieselspieler und selten strandenden Crews. So oder so ist es mit den Freundschaften in Dover, das muß man in Kauf nehmen. Und wenn es so oder so ist, so wird Dover für uns bitten: Denver, Trouville und Bilbao. Es wird die Orte der Welt für uns bitten mit seinen leichten Blicken. Es wird das Irrenhaus von Privas im Auge behalten und die anderen Irrenhäuser auch. Es wird nicht auslassen, was sich mit ihm nicht messen kann, es wird seine Schwächen zu Hilfe nehmen und seine Schwäche. Es wird auch die Industrie nicht vergessen, den Fleiß, die Einfalt und daß alles bald aus ist. Es wird die mißratene Verzweiflung nicht beiseite schieben, die unsere ist. Dover nicht.

Privas

Privas ist ein Schwitzkasten, eine Anstalt für tollwütige Lieblinge, sagen wir, ab vier. Kommen Sie ihnen nicht zu nah, Fräulein, den zahmen Kleinen mit dem süßen Schaum vor sich. Sie sind nicht von hier, wirklich, Sie sollten deshalb lieber in die Gewerbeschule mit ihren laufenden Ausstellungen gehen, Spinngerät, Fluggerät, doppeltes Gehgerät, dort wechseln die Ausstellungen wie die ferneren Blitze, die es nicht aufgeben wollen, dort ist immer ein Portier, eine Schranke, die Sie vor der Tollwut schützt, es sei denn, Sie hätten sie schon. Das wäre aber dann ganz allein Ihre Schuld. Sie haben dann sehr wahrscheinlich einen von den kleinen Tollen um den Schaum herum gekrault, haben Ihr kümmerliches Mitleid an die Falschen gewendet, an die Verlorenen. Sie haben die einfachsten Dinge vergessen, schade, Fräulein, es wäre gerade eine so hübsche Krückenausstellung, selbstgeschnitzte Krücken und weiter oben dann die Stickereigeräte, die Netzflickermethoden an Beispielen, das alles wäre genau das Richtige für Sie gewesen, aber Sie kommen nicht hinein, Ihnen hängt ja die ganze Tollwütigenhorde am Rocksaum. Wären Sie früher gekommen, so hätte ichs Ihnen erklären können: man hilft, wem zu helfen ist. Und wem nicht zu helfen ist, dem hilft man nicht. Scheuchen Sie wenigstens die Biester aus dem Flur und von den Kleiderständern weg. Aus Ihnen wird nichts mehr, Fräulein, Ihre Zukunft läßt sich leicht an den schaumverklebten Kleiderständern ablesen, die liegt fest. Klebt fest, haha. Aber mit etwas Lauge kriegen wir sie auch wieder hin. Fort nämlich. Wenn Sie erst fort sind. Na, rühren Sie sich doch, wird denn nichts bald? Wir sinds gewohnt, daß hier alles bälder wird als woanders. Deshalb sind wir ja hier. Hier in Privas. Na also, jetzt rühren Sie sich endlich. Aber nicht so, Sie verhängen sich ja, Ihre Rockfalten sind auch schon tollwütig, Sie müssen mit der Koppel leben lernen, andere Bewegungen, geschicktere Schachzüge, Sie habens nur sich selbst zu verdanken.

Was hat Sie denn auf die Idee gebracht? Privas ist ausgefallen. Und noch dazu an einem Tag, wo der Wärter die Tollwütigenanstalt offenließ? Was wars, der Mangel an Auswahl, der falsche Ausschnitt auf Ihrer kleinen Landkarte oder ein verlorener Bruder? Was hat Sie denn in Ihrem Kinderfuhrwerk hierhergetrieben? Vielleicht sind Sie auch eine Herzogin und haben Ansprüche. Das weiß man nie. Wenn Sie erst draußen sind, wenn Sie sich mit Ihrer verdammten Koppel durch die Tür gedreht haben, werde ich Ihnen zu dem Kegelberg mit den Störsendern raten. Da läuft ein heißer Weg hinauf. Den zarteren von Ihren kleinen Kläffern bleibt dort leicht der Schaum mit dem Atem weg. Und den kräftigeren, diesen verqueren Warumheulern, werden die Störsender im Weg sein. Die ticken nämlich. Und wenn Sie dann mit Ihrem Handarbeitskörbchen endlich allein sind, auf der Kuppe sind, mit höchstens zwei Kadavern an Ihren hübschen gemusterten Rocksäumen, dann sehen Sie sich Privas an: wie es da liegt, gerupft und aufgeplustert, ausgeschlachtet und eingedämmt, nein, nicht die Gestüte, übrigen Viehverwertungsanstalten und auch nicht die Sammelplätze für Kastanien, mit denen es sich rühmt. Privas, einfach Privas. Woher nimmt es sich? Wer hat es hergehetzt? Und ließ es dann liegen mit seinen erfreulichen und unerfreulichen Bezügen zum Ganzen, die alle nicht reichen? Mit seinen zu frühen Lügengeschichten und seinen zu späten Wahrheiten? Kein Karren hier, um es weiterzuschleppen? Oder meinen Sie Ihr kleines Fuhrwerk, Fräulein? Da müßten Sie aber weit genug davon weggehen, damit Privas so klein wird, daß Sie es auflesen können. Ja, vielleicht ist der Kegelberg das Richtige. Vielleicht klappt es von dort mit einer

Menge Häkelschnüre und nachdem Sie sich die tollen Kläffer vom Rock geschnitten haben. Dann laden Sie es auf Ihren guten kleinen Karren und zerren es auf der anderen Seite, wo auch Störsender sind, wieder hinunter. Und singen. Sie haben Privas auf dem Karren und das wollten Sie doch? Privas, nichts anderes, ich sehe es Ihnen an, Sie können das schlecht verbergen, Ihre Ohren brennen davon. Hinten auf dem Karren rütteln dann die Bildungsanstalten und die Kastanien, wohin wollen Sie es dann bringen, Fräulein? Es ist windig.

Vielleicht an die Küste, dort bläst es Ihnen rasch alles vom Karren. Oder an die Brandstellen, die noch hoch genug sind, dort kann nachher keiner danach tauchen. Aber ob Sie landeinwärts oder landauswärts rattern, Sie werden schon wissen, wohin damit, Sie schon. Mit den Tränen um die versackten Kläffer im Gesicht, Sie kenne ich. Sie haben sichs ja geschworen, daß das was vorbei ist, gerade erst kommt, stimmts? Sie und Ihre Schwüre, Fräulein. Dafür ist Ihnen keine Landkarte klein genug, keine Brand- und Absaufkarte, kein Höhlengelächter. Privas wird vergehen, weil es Ihnen kostbar ist, weshalb, weiß niemand. Damit rücken Sie doch nicht heraus. Während die Lehrer in den Bildungsanstalten auf Ihrem Karren vom Donnern der Kastanien aus der Fassung gebracht werden, kümmert Sie das auch nicht? Das ganze Konzept? Das verschüttete Vieh an den Wegrändern, das keiner mehr braten kann, die unbenützten Kuhhäute? Aus Ihrem Karren tropft die Milch, meine Liebe, und Sie merken es auch. Die Milch von Privas. Aber Milch war nie ein Gegenstand für Sie, war noch nie zu erörtern mit Ihnen, geben Sie es zu?

Ich möchte nur wissen, was Sie dann singen, das kürzere oder längere Wegstück lang, das noch vor Ihnen und Privas liegt, denn irgendwas singen Sie doch. Die Lehrer auf dem Karren hinter Ihnen rütteln nicht mehr, die Portiers, Zaunwärter, Schafkoppelpächter von Privas sind still geworden, es liegt jetzt an Ihnen. Ich sehe Sie schon vor mir, dünn und spitz, die zerfransten Häkelschnüre um die Mitte. Vielleicht pfeifen Sie auch. Aber das Lied kann ich mir nicht denken. »Bruder Jakob« paßt schlecht und das Lied vom kleinen Schotten paßt gar nicht. Aber Ihnen fällt dann schon was ein.

Der Kegelberg mit den Störsendern liegt weit hinter Ihnen, der Schaum auf Ihren Rocksäumen ist abgetrocknet, um Privas auf Ihrem Karren beneidet Sie keiner mehr. Die schönen Stücke im Gewerbemuseum sind zerbrochen, durcheinandergeraten, die Krückstöcke zu den Stickrahmen und alles voller Kastanien, nichts mehr zu verschenken. Privas gehört jetzt Ihnen, die Küsten sind nicht mehr weit, die Brandstellen auch nicht. Aber wie werden Sies machen? Stoßen Sie den Karren nur hinein oder springen Sie mit, binden Sie sich vorher los von Privas oder nicht? Ich frage nur, Sie müssen nichts darauf sagen, Sie müssen mir nicht antworten, Sie können es gar nicht.

Albany

Raving mad, wie das schon endet, das Ende ist eine Wiese, das sind Wiesen, aus den Kommoden gezogen, wieder eingerollt, gibt acht auf die Geldscheinspitzen, gib acht, gib acht, nicht drankommen, nicht einmal ankommen, ach, nein acht, ach nein, es waren acht, als wir ankamen, und die vielen schweren Vallisen, Valeurs, alles so rasch, ja, ja, ja, ja, ein Kanon war ausgeschrieben, das weiß ich noch, auf den Schalttafeln, das weiß ich auch noch, oder bei den Buspreislisten, das weiß ich auch noch, ich auch, nein mich, mir auch, ein junges Fräulein schüttete eine Schüssel Kraken auf uns, mich auch, auf mir blieben sie liegen, den Mantelärmeln, darauf, alles nicht ohne Absicht, gut, daß sie die Schüssel behielt, mit den Händen, das wäre sonst was gewesen.

Eben. Und dann sind wir weitergezogen, da sind wir, war es, das war es, das habe ich gesagt und nichts ohne Absicht wie eben nichts, ganz ohne niemals, Tina sollte mir den Rücken kratzen, aber sie tats nicht, sie tat es nicht, sonst auch niemand, natürlich auch schon wieder gar nicht, niemand wie ichs sage, es sage, ja, gut so, sagte ich es nicht und damit bleiben wir, sind eben alle dabei, durch hier durch, durch, Gelbsucht mußten wir auch noch bekommen, als ob es nicht reichte, nur Auguste bekam sie nicht, anders und auch sonst, sie bekam sie nicht, aber wir, wir alle, natürlich außer ihr, sie, außer sie hätte, hätte, hätte, hätte es, aber nein. Sie bekam sie nicht, wie das aussah, Verbindungen überallhin, der Ausdruck, ein Los auf dem bloßen Lehm, Masten, Masken, nein Masten, doch Masten, Maste, Lose zum Schweinefüttern, Prasserei, wie haben sie es dort, wie sind diese Quäkerorte, nein die, nicht die andern, sondern anderswie, wo wie zu Martini, schön zu sehen, Vater, hübsch, Sie, aber wie haben wirs, den Koffer trennen wir gemeinsam, den Weg dann, alles das Gleiche, beim siebenunddreißigmalsovielten, letztes Hockey, drei Favoriten hat mein Bruder Georg gewonnen und sonst auch, Mutter bäckt Ihnen geeiste Cellerie, das Gelée, Kapellengelée ist auch fertig, schon auch schon, geben Sie acht beim Wasserstand, große Wasserstände hier, ist mehr geworden, jetzt kreisen wir schon eine unendliche Weile, aber wie geht es denn dort, das kann ich mir nicht ausdenken, nein, nein, ich nicht, ich bestimmt nicht, kann sich doch nicht wehren, wenn die Sonne schiefgeht, Georg ist jetzt beim Heer. Aber Hermann, dem haben sie den guten Verlauf in Frage gestellt und Gewürzkisten, zu schwere Gewürzkisten für den Jungen, sollte lieber wohin die Astronomie begleichen, wäre das beste für ihn, der war nirgends kräftig, jetzt sind wir beim Stil, eine Rohrpost, Mutter, oder lieber nicht, laß sie liegen, wenn du nicht willst, die nicht.

Mastbienen hat er sich ausgedacht, das war der kleinere, die bleiben aus, die krachen aus dem Weg, hüpfen nur so die Kabel hoch, Glück die Isolierungen, wirklich, die sausen herauf und paff auf den Hut, alle schon weggewesen und wieder da sogar, die saugen sich fest und plitz, hast du nicht gesehen, Hermann war immer lustig und lustig war er nie, der ist jetzt soweit, der kommt noch, das auch, aber nicht alle, er steigt auch ganz ohne Mast, ist besonnener als der große, eingespielter, der merkt uns gleich, die Mastbienen allein, die Restfrage und all das, man erleichtert es sich eben beim soundsovielten und dabei bleibs, so ist es, das, das soll das, Ideen, Ideen und das sagt man ja auch.

Dabei ist es Tina nicht schlecht gegangen, wollen wir einmal sagen, total, das heißt es, die Mädchen haben ihre Art weg, Auguste auch, aber wir, wir nicht einmal, alles da, wir stauben nur so auf Kurs gebracht, aber wer, wer hat das getan, wer hat ihn, den alten Kasten dahingebracht, so hingerichtet, das

möchte ich wissen, wer denn? Die Löcher zwischen die Masten
und Flügel hinein, wer war das, soll es melden, sich und dann
ganz einfach, komm an die Tafel, Junge, beweise uns, daß
Wurzeln saftig sind, daß man sie ziehen kann aus den gewohn-
ten Wiesen, man zieht einfach und zieht und da, da, hast du
nicht, zwanzig Meilen vom Zentrum, wir tauschen nicht, nein,
nein, wir bleiben auf dem Ansatz, auf dem von uns gelobten
Flecken, Vater zieht Möhren, eure Mutter dörrt sie dann im
Ausguß, wer fertig ist, der fährt ins Rathaus und holt sich
seinen Teil, Auguste, wenn sie die erste ist, so ist sies, wenns
Tina ist, ists Tina, war immer, der Fußpfad ist historisch und
die Fahrbahn auch, war immer schon so, um Punkt um, Rabatt
erst dann, wenn eine halbe Stunde voll ist, zu jeder vollen
halben, malt euch das aus, sowie euch euer Mut läßt, eure
frischen Sinne, gesiebt und zweifach, auch zugeteilt vom lieben
Himmel, von diesem, meinem, mir, mich, euer, das geht und
glatt und geht, war leicht zu greifen jetzt.

Aber jetzt? Spinnig, das kann man wohl, gespinstrig, aber
wir bleiben doch, he, hier, hier, hier, das klingt als wäre es fort
und vorbei, fortbei, fortüber, geh fort geblieben, aber wir
bleiben. Haken uns ein, das Plätzchen hilft uns heim, rollt und
verheißt uns, streunt uns nach innen, daß kein Korn verloren
geht, plättet und glatt, ist so geheißen, wurde, und mit den
Imbißstätten, klar, das geht, aber nicht anders, eingeklammert
von den großen Nummern, das soll doch, die sind groß, sind
wirklich groß und eingefunden, keine fehlt, und leise, zum zu
bewundern, bewundert rasch so eine leise Elf, den Elfer, Elver,
Elwer, den leisen Elwer, zugewandert, klar und keiner merkts,
lehnt lässig an dem Viehzaun, der bewacht uns, wie findet er
den Morgen, wie finden Sie den Morgen, noch nicht, wie findet
Ihr den Morgen, er den Morgen, Euer Ehren, der Bengel schaut

auf uns, kein Frühstückstee, verbrannten Brode, Bröter, keine
Gewähr.

Die andern halten sich so ähnlich, wollen sich vielleicht noch
zu Lotsen machen, Stadtlotsen, städtischen Gebäudezubrin-
gern, Wiesenerschließern und Erschließerinnen, wie wär es mit
der Tausend, nein, keine Wahl, die finden sich am Ende leicht
zurecht, halten zur Graden, zur Geraden, gerade Kerle, wer
wäre nicht für sie, sobald sie nur für ihn sind, hielte sie nicht
gut, behielte nicht, was sie ihm in die Augen schreien, götter-
und gottgefällig, gute Jungen.

Der Morgen heißt uns gehen, er heißt, heißt, heißt solang,
bis er vorbei ist, bedankt und abgelaufen, leicht aus den Affairs
gezogen, re, ren, rens, alles da, allens, der gute Morgen, so
leicht imstand, Trompetenstöße über Land zu hauchen, schade
und Schaden, eine solche Menge Schadens bisher, Schaden, man
sieht ihn nicht leicht ab, die Mode bleibt und ist nicht abzu-
halten mit Lampentricks oder so ähnlich, zieht nicht, bleibt,
nimmt, ja nehmt den Hund mit, großväterlicherseits, die Linie,
die dort endet, hochgradig, edel und nicht abzubiegen, der
kriegt nichts ab, der wird getrimmt, auf Linie gehalten, öder
Morgen, ja, ein öder, kriegte nichts, aber vielleicht ein paar
Nadelöhre, Öhrs, leicht zu durchwandern, eingängig, Einzieh-
nadelöhrs, die ganz besonders, der Kurs liegt frei und schwankt
auf allen Böden, Lagern, ein Roßhaarkurs, aber vom Fohlen
genommen, her- und abgeleitet, ab, jetzt lauf mein Pferdchen,
das ist regulär, wir laufen jetzt und biegen uns am Ende,
schwingen ein, sagt die Statute, soviel ist recht.

Isaak ist auch gegangen, laß uns jetzt rechnen, Auguste,
Tina, Isaak und der Kleine, macht drei und eins, das kann ge-
viertelt werden, auf soviel Arten als es Vieren gibt, schräg
und gerade, vom Hut bis zu den Ärmeln oder anders, leuch-

tend, glatt, grob oder niemals, soviel ist gängig, die letzte aber doppelt, ist fast zur Sitte, kann schon zu rechnen, kann sie schon rechnen, Auguste, Tina auch, bei Isaak ist es anders, aber der Kleine, der holt leicht auf, ist bisher schwächlich, aber das wollen wir ihm gönnen, wir ihm und auch den Weg, der hat ein halbes Milchbrot mit, auf dem Weg, dabei, der kommt auch durch, ein Einlöser und von Natur, das glückt nicht jedem, ja, nein, nein, das wundert einen und durchwegs, nichts als eine Schnitte, von der Früh auf nichts zu trinken, der wollte nichts, hat sich schon abgerechnet, rechnen kann er, voraus und einfach, beides, streng und beiläufig, geheim, auch offen, ganz publik, braucht die voraufgegangenen Lieben im voraus auf, der sachte Krösus, vierfach hält schon besser, wer ihn fragt, lernts vom Grab auf, zieht die Bilder, und kommt auch unaufmerksam rasch voran.

Jetzt Achtung, Isaak meint, es wäre jetzt genug, die Mädchen folgen, Auguste erschlägt drei Tränen mit der Klappe, Tina weint und dann gehts los, jetzt wollen wir so unter wie auch auf, die Sonne drängt, der Trick ist alt geworden, los jetzt, laßt euch verlaufen, der Efeu ist vergiftet, beherzte Töchter, die Valuta echt, von Zweifeln frisch gereinigt, die Augen sind noch mit den Blicken eins, gebündelt, die Witterung ist richtig, das Bouquet stimmt. Uns nichts und euch nichts, hinter uns bleibt liegen, was unvergänglich war, man verläßt es somit, richtig, brandmarkts zu einer kleineren Kolonne, versäufts, vergreift es samt den Rändern, läßt seine Luken verhärten und unbehelligt, die Erhebungen vergehen, die Gründe eingerüstet, links heißt von nun ab vorwärts, rechts auch, seewärts, fest landwärts, zur Teezeit und zur Nacht, wir lassen, wo wir sind, wo wars, wo ist es, dreht sich noch eine Weile im Flachen, spinnt aus, treibt sich drei Kürzel lang herum und

dann stellt das Exempel, die Probe auf Skalp und Zehen-
spitzen, fragt frei, wo ists, wo war es, laßt sie tanzen, trom-
petet aus den Dschungeln, Zoll- und Vermessungsämtern, aus
den Lehnstühlen eurer verlotterten Idole, fragt, fragt nur, keiner wird euch weisen, keiner die Richtung aus den verfilzten
Wegen wickeln, kratz mir einmal noch den Rücken, Tina, aber
dann gehts los, dann fragst du, fragt ihr, frag auch mein Jüng-
ster, Hermann, nicht welche, welcher, nicht was, warum, wozu
und nicht einmal wieviel, dann fragt ihr mit den neuen Stimmen eins, ich will es euch nicht sagen, watet nur voran, die
Felder ab und ehe sie euch nicht von den Lippen springt, wißt
ihr sie nicht, ehe sie nicht genannt ist, aus- und abgesagt, für
nie, für eure flügellosen Junge, Jungen, für euer ganzes Fort-
sein, eure klapperdürre, wegarme Verwegenheit, wie heißt die
Frage? Nein, nicht Albany.

Die Vergeßlichkeit
von St. Ives

Sie ist dort groß, bewegt sich in unverkennbaren ovalen Nebel-
feldern sacht auf und ab. Diese Felder bleiben sinkend und
steigend doch immer waagrecht, zu schiefen Ebenen kommt es
nicht. Es wird angedeutet, daß die Erde hier fast noch eine
Scheibe ist oder doch zumindest gleichgültig gegen ihre Form,
zustandslos oder nicht. Die Vergeßlichkeit von St. Ives nimmt
keine Rücksicht auf Ungerechtigkeiten, die Ertrunkenen werden hier auch gefeiert, aber nicht lang und nicht alle. Der Junge
aus L. wartet vergebens. Seine Schwester hat sich eines Tages
zu weit hinausgewagt. Den Tag vorher hatte sie schon ein
ungeheuer farbiges Kleid getragen. Seien wir froh, daß wir alle
weiß und aus St. Ives sind. Das ist wahr. Sie hätte auch froh
sein müssen. Wird es ein Fest für sie geben? Vielleicht nicht. Sie
war zu wenig froh. Der Junge aus L. wartet aber noch eine
Weile. Manchmal war sie doch froh. Damals zum Beispiel, als
sie beim großen Dinner servierte. Sie war damals auch sehr
weiß. Er erkannte das. Er hat es auch behalten. Aber das eben
ist ungehörig in St. Ives. Zu St. Ives gehört die Vergeßlichkeit
wie zu anderen Plätzen die Zärtlichkeit gehört. Oder die Furcht,
die Zuversicht, der Verstand. St. Ives ist mit seiner Vergeßlichkeit allein wie die anderen Plätze mit ihrer Zuversicht.

Da wird nicht viel herauskommen bei dieser Vergeßlichkeit.
Große Brombeeren, die zu pflücken vergessen werden, obwohl
es verbesserte Brombeeren sind, nördliche Tropenfrüchte.
Wer hilft den Fischen oder der Schwester des Jungen aus L. mit
ihrem farbigen Kleid? Man muß ihnen nicht helfen, man muß
der Welt helfen, seien wir froh. In St. Ives wird die Welt
begrüßt und vergessen, man erwacht dort immer überrascht
und vergißt die Überraschung spätestens gegen Mittag. Wer
später erwacht, vergißt sie rascher. Die Vergeßlichkeit hat hier
ihre eigene Ökonomie entwickelt, keine allzu komplizierte

Ökonomie, dafür sorgen die Ertrunkenen. Auch die ertrunkenen Fische, Möven, kleinen Katzen. Wenn der schwere Südwest schräg über das Festland treibt und die Nebelfelder zu zerreißen droht, kommt es zu sonst ganz unüblichen Streitigkeiten, Sehstörungen, Stürzen, Sektenbildungen, Gehbehinderungen, zu den unbehaglichen Begleiterscheinungen der Erinnerung. Man ist es in St. Ives nicht gewohnt, mit der Erinnerung zu hantieren wie anderswo, man möchte es auch nicht gewohnt sein. Das kleine Denkmal für die Vergeßlichkeit an der Biegung zum Friedhof entstand während eines elf Tage anhaltenden Südweststurms. Es ist eine widersprüchliche Erscheinung und die Leute von St. Ives möchten es weghaben. Die diesbezüglichen Eingaben an den Stadtrat sind zahlreich und werden vermutlich nicht ohne Folgen bleiben. Der Eintritt dieser Folgen ist aber wiederum abhängig von weiteren, wenn auch leichten Südwestströmungen, da sonst die Vergeßlichkeit an das Denkmal der Vergeßlichkeit den Entschlüssen des Stadtrats im Wege ist. Die Egalität, wie die Vergeßlichkeit von St. Ives in den besseren Häusern auf den Anhöhen fälschlich genannt wird, gibt dem Stadtrat Gelassenheit.

Der Junge aus L. lehnt an dem kleinen Denkmal und wartet auf seine Schwester. Er wippt und pfeift und reibt seine entzündeten Handflächen an dem rauhen Stein, den er für einen Findling hält. Seine weiße Schwester ist tatsächlich viel zu weit hinausgeschwommen. Die dunklen Pflaumen von M. A. tauchen vor ihm auf, er wird in den Buchladen gehen und sie sich holen, wenn er lange genug gewartet hat. Er wird seinen besten Anzug aus dem Schrank holen. Er wird hübsch zu Abend essen. Die Vergeßlichkeit von St. Ives geht an ihm nur zu einem kleinen Teil verloren und das gebührt ihr. Es ist ihr Tribut, so verloren zu gehen. Aber was geschieht mit den Hungernden, ja, was geschieht mit ihnen? Er kann sich hier nicht wegrühren, außer zu den dunklen Pflaumen, zum hübschen Dinner. Seine Schwester ist schuld. Vielleicht hätten sie L. nicht verlassen sollen, alle beide nicht. Ihr finsteres heimliches L. Das wars. Das wäre es gewesen. Aber das ist es nicht. Seine Wartezeit geht jetzt gleich zu Ende, seine Hände tun etwas weh, aber das wundert ihn nicht. Das ist so. Seine Weste ist vom Stein aufgerauht. Auch nicht zu verwundern. Wer gewinnt, weiß niemand. In Ordnung, in Ordnung, du gewinnst, kleine Schwester. Ich warte jetzt nicht mehr. Ich ziehe mich um, lehne mich im weißen Anzug gegen den Palmenstamm und photographiere mich selbst. Machen wir es so, auch wenn nichts daraus wird. Dann esse ich und trinke ich, bis vom Himmel nichts mehr zu sehen ist. Ich kann eine ganze Horde sein, wenn ich will. Ich allein. Ich bin dabei, weil ich mich nicht mehr erinnern muß, bin aus St. Ives.

So werden sie, die Jungen aus L., die hier landen. Die zuerst dachten: »Das kann es doch nicht sein.« Aber das ist es. St. Ives mit der Palme und der Vergeßlichkeit, mit den Bojen, die nicht reichen. Die dunklen Pflaumen von M. A. werden ganz gut sein, wenn es zu ihnen kommt. Falls ich sterbe, möchte ich nicht mehr behelligt werden. Genauer: Sobald ich dahin bin, möchte ich dahin sein. Wenn ich die Pflaumen habe, gehören sie mir. Heute reicht der Morgen nicht mehr, die Nacht ist zum Glück gekommen. Aber man ist nie so sicher. Die geriffelten Steine verbürgen nichts. Die Daten sind auch geriffelt, die schönen September- und Oktoberdaten, die die Nacht kräftiger werden lassen. Die Daten von St. Ives. Aber das weiß sonst niemand.

Der Junge aus L. beugt sich jetzt aus dem Fenster. Da unten schaukeln die Autos. Und wie sie schaukeln. Nichts Mittelmeerisches, dessen ist er gewiß. Die Erinnerung ist abgelegt.

Süße Freiheit. Was einem hier alles einfällt. Das wäre in L. sicher nicht so gewesen. In keinem L. Sicher nicht. Dazu braucht es die bestimmte Brücke und das bestimmte Wegstück, das er zusammen mit seiner Schwester zurücklegte. Und Mr. Peables mit der Pfeife, der auch nicht von hier ist. Die genauen Arten bis hin zu der genauen Vergeßlichkeit, die man nicht einordnen kann. Da haben wirs. Auf der Hut vor Maximen. Vor den Behelligungen der Abläufe. So und anders. Und anders, anders, anders. Die Hochzeitsreisenden, die St. Ives gewählt haben, wissen nicht, wie recht sie haben. Und die halberwachsenen Geschwister auch nicht. Aber doch eher. Die Geschwister wisse es eher. Hier bleibt der kurze Ausflug zu den Seehundsbänken für sich, kann nicht wieder hervorgekramt werden, hat keine Gelegenheit mehr, wird nie ein Ausflug zu den Seehunds- bänken gewesen sein, weil er einer ist. Und sicher auch, weil er keiner ist. Der Unterschied verliert an Wichtigkeit, obwohl es sich nicht so anhört. Es ist ein totaler Verlust. Was eintrifft, ist in St. Ives überfällig. Die süßen, eben aufgetragenen Tees mit den Pastetchen. Die korrekten Eintragungen in die Kir- chenbücher. Die schwarzen, kurzen Wellen: da ist eine, die nie da war. Das störrische Gebell, die gestohlenen Hüte, Umhangtücher. St. Ives wehrt sich auf seine Weise gegen die unnütze Vielfalt, gegen die Schattierungen, die von Gegensatz zu Gegensatz führen. Von den Ziegen am Abhang zu – sagen wir – nein, sagen wir nichts. Von den Fischersfrauen? Auch nichts. Aber wir haben ganz hübsche Kellner. Wir werden den Jungen aus L. engagieren. Der taugt zu keinem Rettungs- kommando und wird besser sein als seine bunte Schwester. Der beugt sich abends nur kurz über die Morgenblätter. Über die gewissen Listen. Der weiß, daß die Bucht keine Gewähr ist. Der hält sich.

Rahels Kleider

Wenn ich die Geschichte von den Lumpensammlern in Kensington niemandem mehr erzählte? Und auch die nicht von Rahels Kleidern in den Wandschränken, die keine Wandschränke waren, sondern Durchgänge zur anderen Straßenseite, Durchstiege eigentlich, obwohl nach meinem Ermessen niemand mehr durchkam? Nicht nur wegen Rahels Kleidern. Wenn ich überhaupt nichts mehr erzählte und auch auf Fragen nur im äußersten Fall und nur dem Scheine nach einginge? *Wissen Sie vielleicht, weshalb Rahel ihre Kleider nicht mitnahm, als sie fortzog?* Dagegen könnte ich mich, wenn ich verschwiegen genug wäre, mit langen Reden zur Wehr setzen. Über die Qualität von Rahels Kleidern, über die Möglichkeiten, Wandschränke als Durchstiege oder Durchstiege als Wandschränke zu verwenden. Und vielleicht über die Notwendigkeit einiger guter Schlösser, Riegel und weiterer zusätzlicher Sicherungen. Solange bis der andere sich atemlos, seinen Hut vor einem plötzlichen neuen Windstoß sichernd und ohne die geringste Antwort auf seine Frage verabschiedete und dächte: Den frage ich nie wieder. Man könnte auf eine solche Frage auch kurz den Kopf schütteln, aber das wäre schon geschwätziger, als Andeutung auslegbarer. Es hätte etwas von Geheimnistuerei an sich, die der Verschwiegene vermeidet. Daran erkennt man ihn, wenn man Lust genug hat, ihn zu erkennen. Und dieses kurze Kopfschütteln zöge die nächste Frage nach sich: *Oder haben Sie eine Ahnung, weshalb sich Rahel ihr Zeug nicht nachschicken läßt? Nach siebzehn Jahren?* Diese Frage könnte ich, wenn es mir schon nicht gelungen wäre, ihr zu entgehen, ohne zu zögern, verneinen. Denn ich habe keine Ahnung davon. Ich weiß es. Und da man von den Dingen, die man einmal weiß, keine Ahnung mehr zu haben pflegt, ja, dem Wissen über gewisse Dinge im allgemeinen nur nachjagt, um die Ahnung, die man davon hat, zu verlieren, wäre ich im Recht. Einmal hatte ich, obwohl ich es schon wußte, eine Ahnung davon, weshalb sich Rahel ihr Zeug nicht nachschicken läßt. Sie war schrecklich. Eine der gefährlichen Ausnahmen von einem alten, brauchbaren Gesetz, die man besser vermeidet. Es war auch vor zwölf Jahren. Ich habe heute keine Ahnung mehr. Ich sage die Wahrheit. Darauf der andere zögernd: *Siebzehn Jahre. Wenn man es einigermaßen bedenkt, eine Zeitspanne, innerhalb derer einem eine Tochter nicht nur geboren, sondern auch schon herangewachsen sein könnte. Wirklich*, könnte ich hier verblüfft einwerfen, denn ich wäre nicht darauf gekommen, etwas dieser Art zu bedenken. Solche Bedenken gehören zu den Ahnungen, die der Frager, der nichts weiß, noch hat. Sollte das Gespräch aber eine derartige Wendung nehmen, so wäre es besser, das Thema rasch zu wechseln, denn ich wäre jetzt in Gefahr, dem Fragenden mein Wissen aufzubürden und den Rest seiner Ahnungen zu zerstreuen. Gerade dann, wenn ich meine Verschwiegenheit für die unanfechtbarste hielte, wäre ich in dieser Gefahr. Jetzt sollte ich die Rede auf Töchter und Söhne im allgemeinen bringen oder besser noch auf den vielleicht eben einige Meter vor uns haltenden Omnibus weisen und mich nach hastigem Händeschütteln und einer halblauten, bedauernden Bemerkung hineinstürzen, um dann benommen und schwach in eine mir ganz unbekannte Gegend zu fahren, während der andere erstaunt zurückbliebe und sich überlegte, was ich um diese Zeit mit Hilfe dieser Linie, sagen wir hundertsiebenundvierzig, zu suchen hätte. Aber Rahels Geheimnis wäre gewahrt, der Schatten ihres Schicksals dem meinen um dieselbe Spur nähergerückt, um die es mir gelungen wäre, mein Wissen zu verleugnen.

Und ich könnte bei dieser Gelegenheit, wenn ich den Omnibus an der drittletzten Station verließe, auf einem der kleinen südwestlichen Klosterfriedhöfe nur einige Meter hinter den Gräberreihen der ehrwürdigen Schwestern Peggys Grab entdecken und mir den Grabspruch darauf, da mein Englisch besser, aber nicht viel besser als mein Spanisch ist, so falsch oder richtig übersetzen, wie ich nur wollte. Nicht zu übersetzen, weil meinem Wissen absolut zugänglich, wäre dann nur, was in Ziffern auf dem verblassenden Schild zu lesen stand, nämlich daß Peggy im Zeichen der Fische geboren und siebenjährig gerade noch im Zeichen des Löwen gestorben war. Und auch die Jahreszahlen, die mir, sollte ich an diesem Nachmittag keine Ahnung mehr davon haben, daß alle unsere Jahre gleich lang dahin sind, beweisen könnten, daß Peggys sieben Jahre um einiges länger dahin waren als die sieben, fünfunddreißig oder neunzig Jahre vieler anderer Leute. Schon die ihrer Nachbarin, deren Namen ich vermutlich wieder vergäße und die es Peggy fünfzehnjährig an einem Wintertag gleichtat, stellten sich mir bei dieser Art zu rechnen um einiges weniger lang dahin dar als die Peggys. Und so fort. Es kann kein glückliches Jahr für den Konvent gewesen sein, diese sterbenden Kinder, sterbenden Schwestern, viele von weit her. Ich könnte mir Peggy vorstellen, wie sie über einen der langen Korridore lief und ein Fenster schwanken sah, wie sie laut auflachte über den Beginn ihres Sterbens. Das könnte ich mir vorstellen, soweit reicht es bei mir. Und auch das nur im Falle der Linie hundertsiebenundvierzig. Es gibt andere Fälle und andere Linien.

So könnte auch in dem Augenblick, in dem unser Gespräch über Rahel die gefährliche Wendung nähme, ein Taxi sich rasch nähern, ich könnte zu rufen und zu winken beginnen, wieder das kurze Händeschütteln, die halblaute, bedauernde Bemerkung und gleich darauf die ungeduldige Frage des Taxifahrers nach dem Ziel. Wo nähme ich die notwendige blitzschnelle und gelassene Antwort her? Vielleicht fiele mir gerade jetzt die Adresse meiner halbdänischen Cousine ein, vielleicht hätte ich Glück und sie wäre nicht daheim, ich finge das im Wenden begriffene Taxi wieder ab und diesmal gäbe ich dem Fahrer, ohne nachzudenken und ohne das Geringste von Peggy zu wissen, die Klostergegend an. Dort war ich wirklich noch nie, dächte ich verwundert und das im nachhinein. Und ich landete wieder bei Peggys Grab. Da aber mein Taxi schneller gewesen wäre als der Linienbus, bliebe mir mehr Zeit, mich mit der Inschrift zu befassen, die Möglichkeiten der Übersetzung abzuwägen, soviel Zeit, daß ich sie vergäße, daß die zunehmende Dämmerung mich veranlaßte, den kleinen Friedhof zu räumen, drüben in den verschiedenen Trakten des Klosters die Lichter aufblitzen zu sehen, die Straße zu überqueren und vielleicht ganz geschickt an einer Gruppe laut redender ehemaliger Zöglinge, die von einer Réunion kämen, vorbei durch das Gartentor zu schlüpfen und das Pförtnerhaus zu erreichen. Hier könnte ich nach der Bitte an die Pförtnerin, mir ein Taxi zu bestellen, und nach ihrer höflichen Aufforderung, bei ihr in der Wärme zu warten, da es draußen doch recht windig sei, auch nachdem ich erfahren hätte, daß es sich in diesen Tagen nicht mehr um eine Réunion ehemaliger Zöglinge, *Altzöglinge* sagte sie vielleicht, sondern um Schwestern aus aller Welt handle, leider in den verschiedensten Habits, die Sprache auf Peggy bringen, zu deren Zeit der gleiche Habit für Schwestern desselben Ordens ebensowenig in Frage gestellt worden war wie das tägliche Gebet um einen guten Tod. *Erstaunlich tapfer* könnte ich fragen, wieso hieße es *erstaunlich tapfer* und dabei erfahren, daß es nicht *erstaunlich*, sondern *überaus, über alle Maßen, im höchsten Grade* hieße. Mein fahrlässiger Umgang mit fremden

Sprachen hätte mich wieder einmal in Verlegenheit gebracht, aber in keine sehr große Verlegenheit, da die Pförtnerin sicher lächelnd hinzufügte, *erstaunlich tapfer* könne es von einem Sterben in diesem Haus auch nicht heißen, eher *erstaunlich ängstlich*, das wiederum könne man auf keinen Grabstein schreiben. Und nach einer Weile und etwas leiser: es käme auch kaum vor. *Kaum vor, kaum vor*, das bliebe mir in den Ohren, wenn ich Glück hätte und mein Taxi in diesem Moment käme, ich also nichts weiter von Peggy erführe, nicht daß sie eigentlich Margaret geheißen habe wie andere Peggys auch, aus Gloucestershire stamme und anläßlich der Versetzung ihres Vaters in eine abgelegene indische Gegend schon mit viereinhalb Jahren in dieses Haus gekommen sei. Daß ich also im Taxi auf der Heimfahrt nicht auf den Gedanken kommen könnte, daß Peggy das tägliche Gebet um einen guten Tod ebenso selbstverständlich geworden sein müsse wie das Muster der Steinfliesen, fast zu einem täglichen Gebet um den täg- lichen Tod, daß meine Ahnung von Peggy unzerstört bliebe, mit *kaum vor, kaum vor* endgültig und genau definiert, um- rundet und für immer unübertretbar gemacht, hier im Taxi auf der Heimfahrt wie in dem ebenso gewissen wie ungewissen Augenblick meiner eigenen letzten Erprobung. Wenn man es so nennen will. Ich kenne viele, die es so nennen wollen. Aber ich? Will ich es so nennen? Kenne ich mich? Diese Frage ist unzumutbar. Wo bin ich hingeraten? Die Lichter der Innen- stadt werden schon deutlich, bekannte Leuchtreklamen, *Eliza Eliza,* die Boutique an der Ecke, wo ich mir vor Jahren eine Mütze kaufte, noch nicht für meine Augen, aber doch für meine wenn auch geringe Vernunft erkennbar: die Nähe des Ziels. Jetzt rasch, rasch alle meine Fragen noch einmal. Wer hat sie ausgelöst, wer war es, Rahel, Peggy, die Pförtnerin? Zu spät.

Es ist jetzt keine Zeit mehr, nach fremden Schuldigen zu suchen. Jetzt nur die Fragen und ihre Reihenfolge. Wie ging es an? Mit *dem ebenso gewissen wie ungewissen Ort meiner eigenen letzten Erprobung. Wenn man es so nennen will. Ich kenne viele, die es so nennen wollen. Aber ich?* Hier. *Aber ich?* Die Frage ist so gefährlich wie unumgänglich. Ich bin nicht schuld an ihr. Und weiter: *Erinnert es mich nicht an die im Segnen erstarrte Gebärde gewisser Gipsfiguren?* Die Frage wäre zu umgehen, aber sie ist wenig gefährlich, sie ist auch auswechselbar. Die nächste: *Will ich es so nennen?* Die wäre auch noch möglich, aber nicht so überstürzt, nicht grob wie vorhin. Und wenn ich sanfter wäre, wenn ich sie sachter fragte? Käme ich dann weniger unbedacht auf meine letzte Frage: *Kenne ich mich? Mich – mich – mich – mich?* Die hallt, die stimmt nicht, die schließt fast nichts aus. Ich glaube, ich verhielt mich wie einer, der auszog, das Fürchten zu lernen, um der Angst zu entgehen. Ich hielt mich nicht an den Rat, der denjenigen, die im Finstern wandeln, wie es, glaube ich, heißt, zu Recht gegeben ist: Mehr Angst, mehr Angst, genug Angst, spring! *Wandeln,* das brachte mich schon mit sieben zum Lachen. Darum noch einmal. Mein Fahrer mäßigt schon das Tempo, der Kräuterhändler, bei dem ich meinen Malventee kaufe, ist von der anderen Richtung her in Sicht. Jetzt rasch. Rasch und behutsam, noch habe ich es im Ohr: *Gewissen wie ungewissen Augenblick meiner eigenen letzten Erprobung. Wenn man es so nennen will. Ich kenne viele, die es so nennen wollen. Aber ich? Erinnert es mich nicht an die im Segnen erstarrten Gebärde gewisser Gipsfiguren? Und will ich es so nennen? Kenne ich mich?* Geraten? Falsch geraten, weg von der, die lügt. Das ist die, die's nicht ist. Versucht, mich in den Schlaf zu bagatellisieren. Wie heißt die letzte Frage? Heißt sie wie wir, die wir erst heißen werden, sobald wir in den Mutterleib geraten und gleich darauf schon wieder geheißen haben, sobald nur unsere Asche über die aufgelassenen Weingärten treibt? Und dabei schwören könnten, daß Salomon nicht Salomon hieß, David nicht David? Nein, nicht wie wir, so ähnlich und so falsch. Die muß noch besser werden. Aber wie? Wie heißt die letzte Frage? Mein Fahrer dreht das Licht im Wagen an, liest seine Uhr ab, wird mir den Preis gleich nennen. *Wie heißt die letzte Frage? Wie heißt sie?* Ja. So heißt sie. Mein Wagen hält.

Wisconsin und Apfelreis

Soll man wieder beginnen, die alten rührseligen Geschichten zu erzählen? Das Mitleid heraufzubeschwören? Welche Richtung fahren wir eigentlich, Euer Gnaden? Nun, wir fahren selbstverständlich diese Richtung. Flußabwärts. Es scheint doch alles an uns zu liegen. Oder nicht? Lassen, lassen, die Fragen lassen. Du gibst zu, daß es möglich ist, daß grün nie mehr grün wird, hast es schon zugegeben. Daß die Kobolde uns allein lassen. Sollen sie nur. Die Gatter springen immer mehr ins Bild, das sieht man doch. Die hadern miteinander und während sie hadern, springen sie. Wir bleiben aber hier. Wir warten ab. Wir warten ab, was aus dem Hader noch alles entstehen kann. Kann alles mögliche. Bilder, eine kalifornische Lady beim Erzählen, Apfelreis. Den kennen wir beide, mit dem machen sie uns nicht schwach. Die Dame erzählt ganz gut. Sieht aber aus, als kujonierte sie ihre kleinen Brüder. Laß sie. Jetzt sind wir doch schon wieder bei den Verdächtigungen. Laß sie. Sie erzählt auch zu laut. Du sollst sie lassen. Also gut, der Wechselrahmen steht ihr. Jetzt hustet sie. Sie sieht schwer aus. Eine schwere Lady beim Erzählen. Ich sage dir, das reicht nicht. Du wirst sehen, daß es nicht reicht. Aber uns muß es reichen. Samt dem Apfelreis. Uns soll immer reichen, was kommt. Damen, gefesselte Neger. Weißt du, was ich glaube? Wir haben das Verleugnete auf dem Hals. Man will uns lächelnd sterben lehren, schon lang. Ich sehe jetzt ein Kloster in Wisconsin. Dort waschen sie Teller. Sicher sehr sinnvoll. Dort ist man auch gut zu manchen. Immer dieses Schwarzweiß. Die Dame aus Kalifornien trägt eine grüne Bluse und ein schwarzes Jäckchen dazu. Ich sehe jetzt nur mehr den Hals. Aber vorhin trug sie, was ich sagte. Ganz sicher. Sicher sollte man auch weglassen. Alle Fragen und alle Sicherheiten. Das ist aber schwer. Wir sind gelungen, wir. Wieviele sind wir denn? Zwei? Bist du da

sicher? Nein, nein, sag nichts, ich weiß schon. Alles falsch. Aber
doch nur an der Darstellung. Die Sache selbst stimmt. Die
gemeine Sache. Wie das klickt, wenn die Gatter sich verschieben. Und sie verschieben sich immer, wenn sie springen. Jetzt
ist die Lady draußen, Wisconsin auch, bleibt der Apfelreis. Der
ist unermüdlich. Der hängt so drinnen, daß er alle Sprünge
übersteht. Der ist ganz dabei und der Hader stört ihn nicht.
Wahrscheinlich liebevoll und ohne einen halben Gedanken zu-
gerichtet. Gut, gut, wir müssen nehmen, was sich bietet. Aber
mir wäre dann doch der halbe Mond lieber gewesen. Oder ein
griechischer Buchstabe zum Abschied. Einer von den mittleren.
Denn nach Abschied riecht es. Nach Blei, Bleistiften. Den Um-
ständen entsprechend. Es schmeckt auch so. Glaub mir, das war
nicht von allem Anfang an für den Gaumen bestimmt. Der
Gaumen sollte geschont werden bis fast zum Ende. Aber jetzt
haben wir das Blei auf der Zunge und den Apfelreis vor den
Augen. Da ist die Dame wieder. Hätte ich nicht gedacht, wirklich nicht. Die ist zäh. Meinst du, daß die mit dem Erzählen
auch nicht aufgehört hat, als sie aus dem Rahmen war? Ich
weiß, ich weiß, keine Fragen. Häuptling Littlewood stellte
auch keine. Das ist nicht von mir, das hat sie gesagt. War natürlich ein Späßchen oder sollte eins sein. Der gelingt das nicht so
gut mit ihrem schweren Gesicht. Wetten, daß sie, wo der Rahmen aufhört, eine Reitpeitsche versteckt hält. Die rührt mich.
Und das ist auch gut so. Dich rührt sie nicht. Denkst du, daß
Wisconsin auch wiederkommt, das Kloster mit den kleinen
Geschirrspülerinnen? Nein, so: Vielleicht kommt Wisconsin
auch wieder, das Kloster und so fort. Vielleicht wird es doch
heißen dürfen. Vielleicht darf es heißen. Das muß es heißen
dürfen. Sonst bleibt ja nichts. Vielleicht sollte öffentlich
geschützt werden. Kommt keiner auf die Idee. Die meisten

mögens nicht. Kein Ding schützt es. Die Dame da oben hat keine
Verwendung dafür. Für die ist alles, was es ist. Und wie es ist.
Das hat sie gemeinsam mit ihren lachenden Heilern. Aber sie
ist allein. Die kann einen schon rühren. Die soll keiner auf
ihren finsteren Kopf stellen, sonst fiele sie um. Und damit
basta. Wie rasch sich alles auf uns zu bewegt, was sich auf uns
zu bewegt. Es springt. Das weißt du auch. Schlimm, daß sich
die Bilder nicht vermehren. Immer wieder die Lady, Wisconsin, der Apfelreis. Oder vielleicht nicht schlimm. Oder vielleicht
gar nicht schlimm. Abwarten. Kann sein, daß zuletzt nur mehr
eins von den dreien bei diesen Sprüngen mithält. Oder sie ver-
einigen sich. Das Ganze ist aber jetzt schon ziemlich nah an
uns dran, findest du nicht? Und viele Schritte zurück können
wir nicht mehr machen. Da hinten stürzt es ganz schön steil ab.
Oder nicht. Stoß mich nicht, ich habe nicht gefragt. Ich habe
gesagt: Es stürzt ab oder nicht. Ein Glück, daß wir nicht allein
sind. Ich meine, keiner von uns. Gib es zu, daß das ein Glück
ist. Aber du gibst nichts zu. Du bist ein Horcher, ein Aushor-
cher, du stößt nur manchmal. Jetzt klickt es wieder. Ganz
schön gemein, wie das klickt. Jetzt wird es langsam gefährlich.
Wenn der Apfelreis nur verschwände, der Apfelreis paßt mir
nicht. Nein, keine Gründe. Was sind Gründe? Was Gründe
sind. Soll ich sagen: Der Apfelreis paßt mir nicht, weil er
lächerlich ist? Ich kanns schon sagen. Es könnte einem ja auch
ein Batzen Reis ins Auge kommen, wenn das Zeug stimmt.
Obwohl es nicht so aussieht. Der hängt fest drin, die Äpfel auch.
Braun an den Rändern, aber immerhin. Und Wisconsin scheint
mir auf seine Weise ebenso stabil zu sein. Das Klösterchen. Da
hab ich keine Sorgen. Aber einem, der mich fragte, ob wir da
noch einmal durchkommen, quer durch die Gatter, durch die
kleinen Blechrahmen, durch die leeren natürlich oder außen

herum, dem würde ich sagen: Nein. Jetzt ist nur mehr ein Schritt hinter uns. Oder wie du es nennen willst. Dann kommt lang nichts mehr und was dann kommt, das schäumt. Das vereinigt uns mit Wisconsin, mit dem Reis und mit der armen Dame. Da sind wir dann in die Wahl eingetaucht, die wir nie hatten, keuchend, schnupfend, gurgelnd, aber wir sind drin. Da möchte ich dich dann sehen. Ob du zum Apfelreis tauchst oder zur abgesoffenen Klosterküche? Ob du noch was summst, wenn es dich hochspült? Man kann alle Bundesstaaten summen. Oder einen Fetzen von dem Zeug, das die Dame uns erzählt, einen Fetzen.

Aber die erzählt ja nichts mehr. Die hat aufgehört. Das ist ein schlimmes Zeichen. Und wenn es kein schlimmes Zeichen ist, dann ist es ein schlimmes Zeichen. Den Mund hat sie auch offen stehen lassen, halb offen, das sieht hirnrissig aus, das darf sie nicht, sag ihr, das darf sie nicht, sie soll weiter erzählen, sags ihr, von mir aus von Wisconsin und dem Apfelreis, hörst du, sags ihr, sags ihr, zerr sie an den verqueren Strähnen, kneif sie in die Wangen, aber sag ihr, sie soll weiter erzählen. Sie soll weiter erzählen.

II

Hemlin

Komm herunter, Hemlin, errate, was ich für dich habe. Geh noch tiefer. Du errätst es nicht. Verschwinde nur nicht hinter deiner bescheidenen Figur, das hast du nicht nötig, laß sie auspendeln. Auspendeln, sage ich, schleif nicht. Einer von deinen Füßen bleibt immer zurück. Verstehst du mich? Keine Ahnung, aber ich glaube, du murrst gegen die Sonne, du versteifst dich, das führt zu nichts, das führt nicht, was? Bring mir einen Korb Seife mit, Hemlin! Da läuft er.

Hemlin im Staate Jackson hat eine rothaarige Bevölkerung, es schneit dort nie. Hemlin leitet sich nicht von einer Grafschaft her, es entstand mit seinen Bürgern. Hemlin verdankt seinen Freimut seiner umsichtigen Fischereitätigkeit, Hemlin wird der Stolz seiner Nachfahren sein, es hat wenig kurzfristige Einwohner.

Hemlin wurde von Veronese skizziert. Sie steht, dem Fenster zugekehrt, inmitten ihrer Mägde. Sie scheint zu horchen, zwischen den Geräuschen des Vormittags unterscheiden zu wollen, ihre eigene Abwesenheit zu bedenken, ehe sie geht. Ihr rechter Arm ist abgewinkelt, die Hand leicht erhoben. Die Mägde wirken geschäftig, fast ängstlich. Weit hinter ihnen steht eine Tür offen. Die Mägde, die Tür, Hemlin, außer der Skizze ist nichts bekannt. Veronese hat das Gemälde nicht ausgeführt, vermutlich den Auftrag nach dieser Skizze abgelehnt.

Hemlin ist ein Briefkopf. Mit Adresse, P. O. B., das übliche, keine schlechte Adresse. Auch kein Aufwand. Der Aufdruck schmeichelt nicht, geht nicht zu leicht in den Blick. Den Vorfahren hat der Seewind den Kopf steif gemacht, ehe sie zum Geschäft kamen. Eine klare Sache, verläßlich. Den jungen Lehrlingen sieht man ihren Stolz an. Ich komme von Hemlin. Sie machen gern Botengänge. Man versteht das.

Hemlin, eine Art unvernünftiger Freude aus in sich vernünftigen Anlässen. Die eigenartigen, lange bekannten Anzeichen finden sich am stärksten an den Nordost- beziehungsweise Ostküsten. Vogelartiges Gelächter, sich überschlagendes Wachstum, die Freude, durch die Zähne zu sprechen und so fort. Das alles, schon vor Lawrence bis zum Überdruß beschrieben, hat seinen Ursprung in der menschlichen Neigung, Anlässe unterzubewerten. Diese unterbewerteten Anlässe wachsen heimlich und brechen dann aus. Wir ersparen uns Quellennachweise.

Hemlin, Hemlin, wo bist du? Komm doch Hemlin, sie ersäufen dich, die Quellen wachsen.

Hemlin muß ein Monument sein, rund, macht Schwierigkeiten.

Hemlin.

Surrender

Ich höre, daß mit Tricks und Kniffen gearbeitet wird, Membranen, durchlässiges Zeug, hell, hell. Hell ist aber viel. Da kommt man schwer durch. Der war klug, der die Gänge mit Milch füllte, das trägt, aber nur bis zur Decke. Dann trägt es auch. Kein Kopfzerbrechen mehr. Wieviel Milch verdrängte Keats, der im Millimeterraum starb? Im Millimeterraum starb Keats. Die öde Milch, der Farbnachlaß, ohne den nichts groß wird.

Ohne den die Felder aus den Fabeln geraten, der Abzug muß nicht berechnet werden. Der Himmel zeigt sich wolkig, singt für die Pferde, Britanniens Töchter verübeln ihm nichts. Nichts. Die sind von der offenen Luft hochgebracht, das wirkt. Wirkt sich aus oder so, ja. Verlangt nicht nach Barmherzigkeit, wo sie nicht hingehört. Was hat Krikett mit zerriebenen Satteldecken zu tun, mit den Sammelbriefen aus Übersee?

Eben. Hier liegen wir, wir Hasen. Unverlangt, aber doch. Wir hören nicht auf, aufzugeben. Kein einziger kleiner von uns, unserer hellen Schar. Hell ist wahr. Die Schutzfarben sind schlecht verteilt. Man könnte es auch so nennen: Wir nahmen sie nicht, zeigten uns unbestechlich, benützten die Stimmlosigkeit, Gabel der Weisen, die Fehler liegen offen. Intra muros. Sind da.

Seither wuchert es hoch, Gloucester, die Wicken, ich möchte einmal Atem holen, Sir, aber keinesfalls für lang. Für lang. Vedo la cupola, das reicht. Für dich nicht? Ich frage nur. Weil es mir leicht reicht. Und da wüßte ich, da hätte ich gern. Ich möchte gern den Maßstab finden. Wonach richtet man sich? Dabei bin ich. Ich zeichne ein Meßband, schwache und starke Teilstriche. Es ist auch rot dabei.

Ein Vorlicht, keine Gewaltsache. Bleib, Schuster, da geht er. Ich verlasse mich jetzt auf die Namen, von heute ab, Hügelnamen, alle Arten. Versuche, es einem gleichzutun, der nicht kommt, einem Unverlockten, den kein Umriß zähmt. Ohne Trophäe. Ich kann noch zählen, bis ich nicht mehr zähle, fünf, sechs, zu lang. Viel zu lang. Der Bund zwischen uns und uns, wollen wir ihm die Ehre antun? Lösen wir ihn?

Bergung

Left, links, links, lassen. Die Dame sinkt, die Bordüren krachen, sonst ist es schön still. Wir kennen alle die Schule der Geläufigkeit. Da war nicht viel dabei, das war alles gleich so, spielend. Sie hat die Augen zum Himmel gewandt, sie hat farbige Augen, selbst in der jetzigen ungewissen Lage. Haltet die Seile, Leute. Sie hat hübsche Schuhe, eure Dame. Nur wenig abgelaufen.

Jetzt kippt es bald. Was sich in den Winkeln eingenistet hat, wird mitgerissen. Spinnwebfäden werden durchlöchert, Hohlzäune gekippt, Achtung da vorn, nicht tauchen, solange die Luft reicht, nichts aus den Ärmeln schütteln, was ohnehin herausfällt. Die Devisen als solche betrachten, wer sprach von den Folgen? Keine Rede. Oder doch? Der Stapel Papprollen stammt aus dem Kommando. Geheimsachen. Das schwimmt.

Die Betten kippen auch und die Lieblinge fliegen durch die Luft, Fetzenthemen, verkehrtes Gelächter, weiß, weiß, da fliegt es, rollt zurück, weiß ein, weiß aus und aus, hat viel zu lange aus und ein gewußt, die Rechnung ist verbraucht, läßt sich nicht halten, was aufging, fliegt jetzt auf und stöbert, sucht die Nässe, kann nicht von euch gehalten werden, von keinem, Leute, ist kein Strohmann hier? Die alte Rechnung weint, ist denn kein Strohmann hier, nein? Keiner, der ihr bleibt?

Leb wohl, hier könnten ebensogut Gräser wachsen, Ladies first, muß noch zum Doktor. General Lee ließ sich in Wachs gießen, er oder ein anderer, meinst du nicht? Hatte doch die hübsche Villa auf dem Scherbenhügel. Gib acht, daß die Kerls lernen, adieu, adieu. Daß sie wachsen, das ist wasserfest. Billig, ich weiß. Aber nichts ist so, wie es bleibt.

Der fröhliche Tag, einer war es doch, läßt schwanken, Wasser mahlen, bleibt fort. Hier und da hat er Pappmühlen aufgestellt, ohne Gewähr, an denen steigt es hoch, die Namen bis zu zweiunddreißig, Lisbeth, Alfons, weißlich, ohne Zeichnung, an denen steigt es, ungehindert, das war die Bedingung, loyale Mühlen, Walkmühlen, Zundermühlen, aufhalten, der Tag hat sich verzogen, läßt mahlen, er bringt ein, stands tiptoe, er verneigt sich und himmelhoch, kennt nur mehr seine Mühlen, Tag, Tag, kennt uns nicht mehr.

Galy Sad

Jenkins hat sich über den Mangel an Vokalen beschwert. Sie werden von Woche zu Woche verlegt. Der rote Fluß hat sie ausgespuckt, das ist eine alte Nachricht. Von vor der Sperre. Jenkins? Ich glaube, er verwechselt sich. Er hat keine Geduld.

Jenkins bleibt aus, er will keine Vokale mehr, liegt still, er ist unverläßlich. Eine Weile warte ich noch, aber lange nicht. Kann sein, daß er einen Vertreter schickt. Ruhig. Keine neuen Formulierungen.

Er hat sich jetzt eine Bleistifthülse über den Kopf gezogen, verlängert oder nicht, darunter keucht er. Aber er nimmt sie nicht ab. Wie er ist? Ja, so. Mit der Bleistifthülse. Der weiße Mantel paßt nicht, zu lang und alles im Liegen. Jemand müßte ihm aufhelfen. Im Liegen geht wenig, geht nur sehr wenig. Die Flüsse beeilen sich nicht.

Hinunterlassen. Warten, warten, aufhalten. Winnipeg möchte noch einen Strich häkeln, rund um die Knöchel. Winnipeg ist langsam. Schreibt sich falsch und häkelt gerade, immer rundum. Unserem lieben Jenkins einen Strich um die Knöchel, das kann sie. Komm herunter, Winnipeg, bleib nicht zu lange abseits, willst du ein Pferd? Ja, ein Pferd. Ein kleines Pferd und Häkelgarn. Kommst du dann? Häkle uns einen Laut, Winnipeg. Und laß deinen Jenkins schlafen. Die Lust auf Vokale wird ihm von selbst vergehen, wird an der Luft zersplittern, wird sich bald blind schreien. A O U, häkle nur weiter, dein Jenkins schläft, der ist gut aufgehoben. Ruht. Bleibt weithin liegen, bleibt sichtbar, wie du ihn verläßt, ausgeworfen, verletzt, leicht verletzt, geh, geh. Gib gut auf deine schiefen Sohlen acht. Geh weg. Er schläft.

L. bis Muzot

Ein kleiner Mann mit einer gelben Mütze, das war Muzot.
Fangen Sie nur nicht wieder mit Ihren Farben an, rief er. Eine
genügt. Ohnehin kommen immer Militärs dabei heraus. Ohnehin kommen immer? Er rief so. So wahr ist das. Aber Muzot
fiel mir auf die Nerven. Er hatte Erinnerungen. Ich mußte ihn
gehen lassen. Wenn ich denke, wie er zum Haustor hinaus-
schwankte. So klein.

Am Haustor steht Litford. Er mißt die Leute. Keiner hat es
ihm geschafft oder nur erlaubt. Er hat aber eine Befugnis, sagt
er. Und ein Meßband. Das fällt merkwürdig zusammen. Sein
Herz gebietet ihm. Dagegen kommt man nicht an. Er hat
manchmal Krämpfe, dann stürze ich rasch an ihm vorbei. Ich
bin schon dreimal gemessen. Ich denke, daß ich ihm sagen
werde, er soll jetzt auf Nummer vier weitermachen. Hier sind
alle gemessen und das Meßband verdirbt mir die Fliesen im
Flur. Er klebt es immer an. Es ist eigentlich ein Klebeband. Das
muß ich ihm sagen.

L. wollte nach Hampshire. Aber er ging nicht, etwas hielt ihn
ab. Vielleicht der Rauch hier, sagte er. Mir ist nicht damit
gedient, wenn alle bleiben, sagte ich. Gespräche, die so beginnen,
habe ich ungern. Das merkt er auch. Und noch deutlicher kann
ich nicht werden.

Muzot sagte, er hätte zwei Söhne, M. und M. Aber ich glaube
ihm nicht, er wollte mir nur drohen. Woher soll er Söhne
haben? Vielleicht hat er zwei Mützen, M. und M. Nein, nein,
nicht einmal das. Hie und da überlege ich, wo er jetzt sein
könnte. M. und M.? Das bringt einen auch nicht weiter.

Tief im Schacht, summt L., wenn er an meiner Tür vorbeigeht. Er hat schlechte Manieren.

Mazarin besuchte mich in seiner Tunika. Was die Leute von mir wollen? Er sprach von seinem dreizehnten Geburtstag. Ich auch. Ich bin vorsichtig.

Litford hat L. gemessen. Ein Irrtum. Aber vielleicht kam doch etwas heraus? Eine Maßzahl, ein Resultat. Zweihundertelf oder hundertzwanzig zu siebzig. L. ist groß. Er hat mehrere Größen. Ich glaube, das gibt Ärger für Litford.

Und Ärger für mich. Wir wollen ihn an Land setzen, sagte einer. Ich hörte ihn. Ob es Litford war? Der wollte unlängst die Verwaltung einberufen wegen des Windrades im Lichtschacht. Und sein Meßband? Ich weiß auch nicht, ob Mazarin aus dem Haus ist. Das könnte wiederum Muzot veranlaßt haben. An Land setzen? Ich möchte wissen, woher sie das Land nehmen. Es ist alles gepflastert.

Diese Sachen kenne ich, damit können sie mir nicht kommen. Lasalle rührt sich auch nicht mehr, das enttäuscht mich. Dachte, er wollte zurück. Wegen des paradiesischen Zustandes hier. Wenigstens für ihn.

Ob ich den Rest behalte? Ob ich ihn auf gut Glück an mein Herz nehme?

Sur le bonheur

Ich las ein Stück über Revolutionsarchitektur, ließ mich wenig berühren. Soll Versailles erweitert werden oder nicht? Das ist für mich eine Erdlochfrage, eine Frage der Sequenzen. Soll erweitert werden? Gut, gut. Schert mich nicht und ich schere Versailles nicht, lasse ihm seine Rabenflügel, berühre sie nicht, gebe zu, daß sie wachsen. Daß sie wachsen.

Also doch. Soll geschwärzt worden sein, eingeschwärzt. Ich sehe nur nichts. Das soll man nicht weiter wichtig nehmen, soll sich auf die Konzentrate beschränken, alle Arten. Das ließ ich mir sagen. Gab zu, daß man es sagte. Gab verschiedenes vor mir zu. Da war ich noch nicht weit. Bei gleich und, gleich mit, da konnte ich noch nichts sagen, nicht entgegenwirken. Alles war wie jetzt.

Wo sie die hübschen geschwärzten Steine hernehmen? Steigbügel vielleicht. Da muß ein Joker her, einer, der durchfliecht ohne Lichter. Der soll kommen. Die Art und Weise überlasse ich ihm, geräuschlos am besten, aber wie er will. Ich nehme ihn schon nicht, darauf kann er sich verlassen. Ich ducke mich rechtzeitig.

Heute habe ich Leitersprossen kopiert, eine nach der andern. Fand verschiedenes heraus. Lotos zwischen III und IV. Die vierte geriet mir zittrig. Danach ging es eine Weile. Leitern, Leitern, alle Arten, aber das Leiterwerk ist nicht perfekt. Das ist oft so. Wer riet mir, mich an die Sprossen zu halten? Vergessen. W. V. oder W. W., einer von denen. Soll ich mich daran halten? An meine vierte zittrige? An meine liebste? Sehen, was sie kann?

Der Turm von Babel ist gewiß nicht an einem Tag erbaut worden. Eine Ursache unserer Freude. Ursachen dieser Art gibt es viele. Gibt es alle. Nicht an einem, auch, gewiß, gewiß nicht, soviele. Ach Ursachen, diese Ursachen. Ich fand dein Halstuch. Hörst du mich? Ich habe es aufgegeben, die geschwärzten Strände hinaufzuklettern. Ich fand nur dein Halstuch.

Das Tal, mein Tal, wo ich auch immer einmal hinwollte. Kam nicht hin, schade. Kam nicht hin, wo ich gern entsprungen und den jüngsten Lauf getan hätte. Wäre. Wo ich nicht geblieben wäre. Gern, gern, aber ich kam nicht hin. Kam nicht hin, wo ich nicht geblieben wäre. Kam nicht hin.

Consens

Die Worte der Vereinigung, he, Worte, Geflügel, abgeschieden vor der zu bestimmenden Zeit, wann sollten eure süßen Eklipsen geschlagen haben, wann gerieten sie sich in die Haare? Nein, nein, ich weiß schon, holdselig und der Schweiß kaum zu spüren, harzig, trat nicht erst aus, nichts trat, nichts prügelte sich jenseits eurer sanften Vermutungen, Alissa, die ernste am Feuer, und so fort, meisterten sich sanftmütig aus der Welt und ihre Initialen erst recht.

Die schöne Farblosigkeit, daran halten wir fest, Jugend, noch längst nicht die Gewähr der Farbe, das ist es, wäre immer noch in Ordnung, Jugend. Wer sah Thyrrus, sah den Korb? Wen, wessen Herzschlag, die Felle kreuzen, werden rasch vertauscht, wer sah ihn? Ihn. Ist Melbourne in Ordnung? Gut, das war gut, ja, wird niemals überboten werden, Melbourne ist schon vergessen.

Die Finsternis, dann die Schlängelwege, zuletzt die Reihenfolgen, vor, haupt, nach, wie kommt das? Nach ist sicher das beste, ist am besten, weil zuletzt erfolgt, dagegen nehmen sich die Wege kümmerlich aus, glatt, nein, nicht einmal, geriffelt auch nicht, eben. Ist es jetzt finster? Keine Spur. Geschlängelt, aber in die Folge haben sich die Folgen gedrängt, seither schwankt es.

Ginger, Quadalupe oder Kumawi? Das wuchert, überwuchert uns die alten Spuren, hält uns im argen, the blue, blue Indian sea, wohin damit, lassen wir einfach, der Boden ist noch trocken und genug Boden, genug trockener Boden, weshalb allein und vor Feuern, gib es zu, machen wir, daß wir fortkommen, Kumawi, lassen wir uns aus.

Ermattet oder nicht, wer fragt dich, Blinder? Alfons von Ligurien ist weit weg, läßt die Schnäbel schwimmen.

Die bezeugte Unreife bewahren.

Insurrektion

Die Weibchen der Jaguare, ihre Wechsel sind ausgeschrieben. Ich deute nur hin. Keine Zeichen der Auflösung, die bleiben uns vorbehalten. Nein, nicht anders. Uns vorbehalten. Uns, eben so. Und so. Den Tran schlürfen die andern. Lassen. Unter zehn Leiern die Wahl treffen und keine schlagen. So. Du warst gut.

Du warst sehr gut, du hattest dich in der Macht, bei Fuß, dich selber, du hattest dich. Das war schon und blieb nicht aus, keine Silbe. Bei deiner Sonne. Es war nichts zu sagen.

Gib mir jetzt meine Weiden zurück. Streif dir selber das Fell glatt, gib mir die Weiden. Und gönn dir Ruhe, gönn dir eine Menge Ruhe. Ich bleibe am Rand. Nichts von der Strömung, die soll mich verschonen. Die Mitte, gold, rotgold, schwarzgold. Bis ich verschont bin, zu Ende verschont. Gib her.

Da flog das Wort auf, sinnlos in den Rübenhimmel. Kein Karnickel zu sehen, nichts schnappte danach, keine Hieroglyphe beschädigt. Meine Tiere mögen das nicht, sind nicht leicht zu verlocken. Aber die Weiden, die müssen her, das Gestrüpp, selbst die Stämme. Wie das gehen soll? Keine von meinen Fragen. Links, rechts, da gibt es Leute, Fachwerker oder so, hübsch und stark und genug. Z. V. b. und nicht zu unterschätzen.

Die alten Formeln sind überfällig, keine wiederholt sich.

Jetzt Ruhe.

Queens

Wahlverwandt, geglückt, die Schwindelerreger reihen sich aneinander, uses my wife for sewing, das Kettenhemd wächst, läßt sich bald einhaken, die Legende eine Leseanleitung, ein Nähfaden für die Unsterblichen, für ihre gebrechlichen Finger, entwichen, ausgefädelt, nein, nein, so nicht, wir haben uns gleich wieder, wir sind vollzählig, da, doch da, abgewrackt in Virginia, aber wir sind doch da.

Lies, lies, die flachen Sträucher, welche Art welcher Farbe, im Wortlaut welcher Hälften, Stromtäler, lay outs, sagt es sich leicht, steigt nicht das Rinnsal, lies, lies weiter, den Rost, die dürren Zeilen, gekraust, die Linien verblättert, lies und horch, steh nicht zu dir, dreiachtundsechzig ist eine gute Nummer, die bleibt nicht, nimm sie ruhig.

Uses my wife, der Schneidertisch ist gut, der hat Schrauben genug, hält stand und läßt sich sein, ist auch im Plan vermerkt, der gibt nicht auf, steht dort und dort, der hat sein Ende bei sich und abgezirkelt, unter Dach, nicht gut genug, aber gut, das klappert, lustig ist ein Wort für den, der es eins sein läßt. Und Heu ein anderes, das paßt nicht, falsch im Zuschnitt. Heu, wer wars? War keiner, Heu war keiner. Oder einer, der es nicht zugibt. Heu ist ein Wort.

Lebe jetzt nur wohl, Mary, lebe wohl, es war hübsch, dir zu dienen, du hast passiert. Hier sind zwei flache Stufen, gib acht, gleich geht es abwärts, aber nicht für lange, leicht abwärts, so wie du es wolltest und nicht für lang, die Nelken warten, fall nicht, vergib, was sich dir bietet, laß die Hemden im Abfall, don't look back, schon wieder, das schleicht sich ein, back, back, der Blick ist gut, der Rat auch, drum schau nicht, horch nicht, Mary, geh.

Das soll kein Ende sein, wenn es eins sein soll, Enden genug, längsseits und längsseits, zu Füßen und zu Füßen, wenn du willst, Endlein, vierzehn Schnipsel, synthetics, Perlen und Teufel, das macht sich, Mary, das glaubt jeder, wie das vom Tisch fährt, laß die Enden tanzen, bis sie rund sind, Ecken und Enden rund mit Ringelschwänzen, bis man sie eintreibt, unsere guten Freunde, in das durchtränkte Buch, auf das wir schwören.

III

Gare Maritime

JOAN	*jedes Mal schneller* Zur Zeit der Kreuzzüge zu Fuß zu jemandem gehen Zur Zeit der Kreuzzüge zu Fuß zu jemandem gehen Zur Zeit der Kreuzzüge zu Fuß zu jemandem gehen Zur Zeit der Kreuzzüge zu Fuß zu jemandem gehen
PEDRO	Block drei offen
JOAN	Wie weit
PEDRO	Rasch
JOAN	*stockend* Zur Zeit der Kreuzzüge zu Fuß
PEDRO	Block drei schließt gleich wieder
JOAN	*verwundert* Gleich
PEDRO	Rascher
JOAN	*sehr schnell* Zur Zeit der Kreuzzüge zu Fuß
PEDRO	Und weiter weiter
JOAN	*erschöpft* Gleich
PEDRO	*nach einer kurzen Pause* Joe *Erregt* Joe Atmet sie noch
JOE	*gähnt*
PEDRO	Ob sie noch atmet
JOE	Nicht viel dran *Nach einem Augenblick* Horch selber
PEDRO	Kann mich schlecht bücken *Als Joe schweigt* Faselte eben noch etwas *leiser* Verrat Verrat
PEDRO	*laut* Verrat
JOE	Wenn das alles ist
JOE	Was denn
PEDRO	Alles verzogen Die Gatter eingedrückt

JOE	Du hast Angst
PEDRO	Die Puppen bringt man schlecht zwischen Gatter und Straßen durch Aber versucht haben sies Da ist allerhand versucht worden Verträge und so fort
JOE	Schläfst du auf dem Block
PEDRO	Ja
JOE	*kichernd* Kuschelst dich ein
PEDRO	Ja
JOE	Hast auch noch einen Vertrag
PEDRO	Einen mittleren Vortag
JOE	Schalterdienst
PEDRO	*zornig* Gerade eben jetzt
JOAN	*beginnt langsam zu atmen*
PEDRO	Horch
JOE	Das hört sich nicht neu an
PEDRO	Abwarten
JOE	Das übertrifft sich nicht ob man es kreuz oder quer legt *Nachdenklich* Wir gingen schon miteinander als Ameisen die Kais entlang Da war nichts anders Jetzt trägt sie ein blaues Kleid
JOAN	*atmet rascher*
PEDRO	He Block drei schließt Ich sagte ihr vorhin daß Block drei gleich schließt
JOE	Machen sie dich hier zum Museumswärter
JOAN	*leise* Zur Zeit der Kreuzzüge zu Fuß Die Fastenzeit Viel zu Fuß
PEDRO	Ich habe Angebote genug
JOAN	Die heilige Woche
JOE	Der alte Hafen und so fort
PEDRO	Hört auf

JOE	Gehst du jetzt
JOAN	Block drei schließt gleich
PEDRO	Aha
JOE	Das weiß sie jetzt
PEDRO	*mürrisch* Es muß rascher gesagt werden
JOE	Das Museum ist ganz hübsch mit Figuren auch oft Wachleuten davor ganze Trupps Bringst du sie dorthin *Zögernd* Es soll dort alles schön ausgebessert werden
PEDRO	Deshalb nicht
JOE	Bringst du sie hin
PEDRO	Das soll mir einer sagen *Erregt* Hängt davon ab ob sie atmet oder nicht
JOE	Und wer soll das entscheiden
PEDRO	Zwei Grammatiklehrer vom Lyzeum auf dem Hügel
JOE	Kommen die herunter
PEDRO	Glaub ich nicht
JOE	Und wie bringst du sie hin
PEDRO	Das hängt wieder davon ab
JOAN	*atmet unregelmäßig*
JOE	Von dem da
PEDRO	Ja
JOE	Von dem soll alles abhängen
PEDRO	*sich mit Mühe besinnend* Da war ein Laden Ich weiß nicht was für ein Laden Da konnte man hin und konnte die Zuschauer ausgesperrt lassen Manchmal kam einer hin und beschwerte sich aber der kam nicht durch Sie lag am Boden hinter dem Ladentisch Das konnte sie dort
JOE	Hieß sie Joan

PEDRO	Nein
JOE	Wie dann
PEDRO	Balthasar aber nicht Balthasar Weil sie kein Mann ist hieß sie nicht Balthasar Aber nur deshalb Wie wenn ein Mädchen Balthasar hieße So hieß sie
JOE	Ah ja
PEDRO	*hustet als hätte ihn das Reden angestrengt*
JOE	Bal tha sar
PEDRO	Das ist alles privat
JOE	Privat
PEDRO	Privat
JOE	Sags noch einmal
PEDRO	*beginnt wieder zu husten*
JOAN	*stockend* Zur Zeit der Kreuzzüge zu Fuß zu jemandem gehen
JOE	Kann sie noch mehr Sätze
PEDRO	Den kann sie nicht
JOE	*zärtlich* Joan
PEDRO	Nein
JOE	Das weiße Krägelchen
PEDRO	*zornig* Hör auf Rühr sie nicht an
JOE	Deine Biegepuppe Dein Püppchen mit dem durchgebogenen Kreuz
PEDRO	*ruhiger* So oder so
JOE	Daß nicht alles krachte als du sie durch die Gitter gezerrt hast *Auf Pedros Schweigen* Als ob es Winter wäre sieht die aus Ich gehe dann
PEDRO	Bleib noch
JOE	Mit dir auf zwei Lehrer warten Und mit dieser
PEDRO	Ich will nur den Block schließen

JOE	Geh Geh schon
PEDRO	Gib acht auf sie
JOE	*wartet einen Augenblick klopft vorsichtig* So dürre Hüftknochen hab ich mein Leben nicht gesehen *Klopft wieder Es klingt als ob er auf Holz klopfte* He wach auf Wach auf Joan
JOAN	*seufzt*
JOE	Sag deinem Joe wie oft du nicht atmest At mest Aus dir könnte man eine Menge hübscher Kinderklappern machen Hörst du Hörst du Joan Ich kenn dich doch ich kenn dich von früher *Dringender* Wenn du tauchst Joan wo holst du dann die Luft her Und wenn du nicht tauchst wieviele Atemzüge läßt du dann aus von denen die verlangt sind Ich muß es wissen Ich will umschulen Joan *Klopft wieder* Meinst du ich kenne deine hohlen Knie nicht wieder Als ob man auf unbedachte Verstecke stieße Das geht durch die Seide Den Klang gibts nicht noch einmal aber einmal gibt es ihn Mit der Stirn versuch ichs erst gar nicht Oder soll ichs mit der Stirn versuchen was meinst du Oder da wo deine Schläfen einsinken Du bist leicht zu erkennen Joan Jeden Knochen erkennt man bei dir daran daß du ihn nicht liebtest nicht großgezogen hast Und dabei waren dir deine Knochen noch immer lieber als der Rest
JOAN	*ruhig deutlich* Laß mich in Frieden Joe
JOE	Der arme Rest
JOAN	Mit deinen alten Reden
JOE	Atmest du jetzt

JOAN	Ich schneide Bast und dahinter kommen sieben Säuglinge hervor
JOE	Oder stößt du die Luft nur aus die sich dir eindrängt dir zudringlich wird Joan ehe dein Blockschließer wiederkommt diese Pest oder wer immer es ist ich will nur zwei Auskünfte von dir
JOAN	Nur zwei
JOE	Das ist schon viel
JOAN	Deine Lobreden
JOE	Ich will was wissen
JOAN	*ihn nachahmend* Wie lange hältst dus unter Wasser aus Joan
JOE	Das stimmt
JOAN	Und wie lang in der Luft
JOE	*begierig* Wie lang
JOAN	Was willst du wissen Joe
PEDRO	*atemlos* Was machst du mit ihr
JOE	Zwei Fragen zurück Wenn das nicht eine Menge ist
PEDRO	Hast du sie angerührt
JOE	Und wird immer noch mehr
PEDRO	*erschöpft* Block drei schließt nicht
JOE	Eine Weisung
PEDRO	Nein Er klinkt nicht ein Allein krieg ich ihn nicht hin Ich muß ihn aber hinkriegen
JOE	*seufzend* Ich komme schon
PEDRO	Und sie
JOE	Sie
PEDRO	Wir schleifen sie zu zweit
JOE	Das sind Aussichten Und bei den Drehkreuzen

PEDRO	Unter dem Gatter durch
JOE	Ach ja
PEDRO	*drängend* Sie geht leicht durch Es ist schon eine Spur dort
JOE	Das wird sie trösten
PEDRO	Kommst du
JOE	*zornig* Kommst du kommst du
PEDRO	So ist es richtig Joe So hältst du sie recht Vorsicht
JOE	Wenn doch die Spur da ist
PEDRO	Was kracht ist der Taft
JOE	Guter Taft Und was nicht kracht
PEDRO	Hier durch
JOE	Jetzt hast du das Kräglein verknittert
PEDRO	Noch hier Und hier
JOE	*schwer atmend* Die ist schwer aber leicht
PEDRO	Hier weiter
JOE	Weil sie nicht Balthasar heißt
PEDRO	Gib acht
JOE	Ich muß verschnaufen
PEDRO	Nach dem kurzen Wegstück
JOE	Vor dem langen Rest Bevor wir aufrecht durchs Drehkreuz gehen und sie unter dem Gatter durchzerren Und weiter
PEDRO	Der bricht nichts Die kenne ich
JOE	Ich auch nicht
PEDRO	Wechseln wir die Seiten
JOE	*mürrisch* Ich wechsle schon Hab immer noch gewechselt Kenne alle Seiten von allen Seiten her
PEDRO	Ich verstehe dich immer schlechter
JOE	Jetzt keuchst du ja

PEDRO	Das ist kein Kinderspiel mit dir und ihr
JOE	Das kurze Wegstück
PEDRO	Hier
JOE	Ich weiß Man kennt den Weg zum Block
PEDRO	Sie wird jetzt schwerer
JOE	*summt* Der Leuchtturm hat ein blaublaues Kleid
PEDRO	Schwachsinn
JOE	Nicht auf See
PEDRO	Auf See auf See Du hast längst abgeheuert
JOE	Das Gatter
PEDRO	Und die konnten noch froh sein daß sie dich loskriegten
JOE	Ich weiß
PEDRO	Hier ist die Spur
JOE	Ich sehe nichts
PEDRO	Zwei Meter vom Gatterende
JOE	Die ist zu schmal Da zieh ich sie nicht durch
PEDRO	Was denn Über das Gatter werfen oder ins Drehkreuz stellen
JOE	Hier an den Wegrand legen bis wir zurück sind
PEDRO	Ich darf sie nicht allein lassen Keinen Moment
JOE	Könntest auch was versäumen
PEDRO	Komm schon
JOE	Ich zieh sie hier nicht durch
PEDRO	Ich sage dir der Puppe bricht nichts Da und dort Staub in die Höhlen Der lockt ihr vielleicht den Atem wieder hervor
JOE	Oder taucht dir zurück was du zuviel davon hast *Krachen*
JOAN	Dem hast dus gegeben Joe
JOE	Freu dich nicht drüber Kannst du stehen

90

JOAN	Nein
JOE	Ein Grundsatz von dir
JOAN	*ruhig* Kein Grundsatz
JOE	Aber gezerrt werden Und dann Schiedsrichter kommen lassen vom Lyzeum auf dem Hügel Kennst du die zwei
JOAN	Nein
JOE	Wie geht dein Atem jetzt
JOAN	Wie immer
JOE	Dann sag mir wie
JOAN	Ganz gut
JOE	Oder was wolltest du sagen Nein nein ich frage nichts mehr Wollte auch nur wissen wie dein Atem nicht geht und was sollst du davon wissen Das Kleid paßt dir
JOAN	Ja
JOE	Ja
JOAN	Ich muß meine Stimme nicht immer weglassen
JOE	Soviel wußte ich schon
JOAN	Nur den Atem
JOE	Ja
JOAN	Aber das reicht
JOE	Weißt du wo du bist Joan
JOAN	*seufzt*
JOE	Ich dachte mir daß du keine Ahnung hast Wie lange zieht der Kerl dich schon herum Wer hat dich ihm übergeben Und wer dem vorher *Nach kurzem Schweigen* Auch nicht Weißt du daß du Glück hast Es kann hier kalt werden und die Kälte bleibt nicht trocken Hörst du Es gibt hier einiges

JOAN	Ich weiß
JOE	Das weißt du wieder Dann weißt du vielleicht auch wieviel Kanonenboote heute auslaufen oder ob wir Dienstag haben Ich möchte einmal deine Wissenschaft beherrschen Sie geht wie dein Atem
PEDRO	*ächzt*
JOAN	Er rührt sich wieder
JOE	Du sagst mir soviel
JOAN	Wie heiße ich nur rasch
JOE	Aber ich sag dir eins Verlaß dich nicht auf Vordächer und laue Tage Sie werfen Blasen
PEDRO	*benommen* Block drei Schließzeit
JOE	Soweit wären wir wieder
PEDRO	Du bist ein ganz kleiner gemeiner
JOE	Solche wie dich erwischt es öfter zu schwach
PEDRO	*zornig* Ich muß den Block schließen
JOE	Zuviel
PEDRO	Mit dieser Knochenklapper die das Atmen nicht lernt
JOE	*rasch* Laß sie mir
PEDRO	Damit mich die Hafenbehörde faßt
JOE	Das Lyzeum dachte ich Auf dem Hügel
PEDRO	Was willst du mit ihr
JOE	Den Richtern aus dem Weg gehen
PEDRO	Wohin
JOE	Das mache ich schon
PEDRO	Wie groß du redest
JOE	Ich verstecke sie vor den Kardinälen den Lord Oberrichtern den Zollbehörden
PEDRO	Wo

JOE	An unbesuchten Orten
PEDRO	Dann im Museum
JOE	Ein Lyzeum tut es auch wenn es im Niedergang ist Ein neueröffneter Kindergarten dem keiner traut *Entfernt Schritte*
PEDRO	Ich glaube die zwei kommen
JOE	Die wollen sich um ihr Volk kümmern um die abgeheuerten Seeleute Und ihre Kinderklappern herunterdeklinieren
PEDRO	Vorbei
JOE	Die warens nicht
PEDRO	Aber man weiß es nie Ich muß jetzt schließen
JOE	Schließ deinen Block
PEDRO	Und die
JOE	Laß sie mir solang hier Wir warten Ich berühr sie nicht
PEDRO	Berühr sie nur Da kannst du deine Wunder erleben
JOE	Ich kann sie auch berühren
PEDRO	Laß sie
JOE	Ja
PEDRO	Sicher
JOE	Sicher
PEDRO	*schon entfernt* Aber sicher
JOE	Joan komm jetzt Er ist fort
JOAN	Mein Kleid
JOE	Dein Kleid ist ganz gut
JOAN	Das vorige war mir lieber
JOE	Ich weiß Kannst du so gehen Mit diesen Sohlen und Bändern
JOAN	Ich kann mit allem möglichen gehen

JOE	Dann komm Wir lassen die ersten Hafenbecken beiseite Vom letzten kenne ich den nächsten Weg zum Museum
JOAN	Dort findet er uns
JOE	Ich glaube nicht
JOAN	Wie nicht
JOE	Ich kann eine Figur machen
JOAN	*lacht* Du
JOE	Ich gebe schon acht
JOAN	*etwas außer Atem* Und welche Figur wirst du machen
JOE	Die dich hält Geh ich dir nicht zu rasch
JOAN	Nein
JOE	Was klirrt an dir
JOAN	Klirren
JOE	Mir war es so
JOAN	*ruhig* Nichts klirrt
JOE	Aber als es seineabwärts ging Joan wie war das
JOAN	Es war nicht schwer Nicht schwer nein Es stäubt einen einfach hinunter
JOE	Und dann
JOAN	Dann bin ich hier Das ist dann
JOE	Das ist jetzt Gib acht Ich frage dich nichts mehr *Poltern als ob ein Möbelstück umfiele*
JOAN	Mein Schuh
JOE	Das hörte sich nach Staub und Sesselbeinen an
JOAN	*lacht wieder* Der Kardinal
JOE	*erbittert* Der hat übergeben
JOAN	Schon lange
JOE	*ruhiger* Ja schon lang Aber es drang erst jetzt zu uns Und die Spanne zählt

JOAN	*emphatisch* Es lebe – *bricht ab dann wie verstummt* Es lebe der schlechtere von meinen guten Schuhen
JOE	Hier rechtsum
JOAN	Über diesen Barren
JOE	Gib auf den Rock acht
JOAN	*wegwerfend* Der Rock
JOE	*während sie weitergehen* Wenn wir dann im Museum sind Joan als Abelard nein ich weiß nicht wie der andere Name heißt wenn ich dich dann halte und wir reglos sind als Abelard und Joan zeigst du mir dann wie du nicht atmest wie oft die Abfolge und alles Die Zwischenräume Es sind lauter Kreuzzüge Joan es ist alles zu Fuß
JOAN	Da kommen sie
JOE	Mit ihren Mützen
JOAN	Hüten Mit den Hüten
JOE	Vielleicht sind sie es Deine Inspekteure die dich herausfinden wollen Der mit der Mappe sieht aus als wollte ers schon lang
JOAN	Er kannte meinen Vater Aber er nahm die Ochsen nicht wichtig
JOE	Die Ochsen
JOAN	Wir hatten zwei Und Hühner Die sah er gar nicht
JOE	Der andere
JOAN	Ist von später
JOE	*hastig* Schau nach dem Wetter Sag nichts
I. INSPEKTOR	Sind Sie der Blockschließer
JOE	Block Block

2. INSPEKTOR	Block eins Block zwei Block drei
JOE	Nein
1. INSPEKTOR	Er muß voraus sein
JOE	Ich sah einen der fing mit P an
2. INSPEKTOR	Das war er
JOE	Versuchte eine Dame in einem Kettenpanzer durch ein Gatter zu zerren Unten durch
1. INSPEKTOR	Auf alle Fälle
JOE	Dann eilen Sie sich Vielleicht erreichen Sie ihn noch mit Signalen *pfeift durch die Finger* So *ahmt ein quiekendes Schwein nach* oder so
2. INSPEKTOR	Der schlüpft uns nicht durch die Finger
1. INSPEKTOR	*von fern* Wie alt war die Dame
JOE	*ruft* Sie schwankte *Lauter* Ich sah nicht viel Es kam auf die Gatterstelle an Auch auf das Kettenhemd Aber zwölf war sie sicher Sicher Verlassen Sie sich darauf *Zu Joan* Das reicht lange
JOAN	Die kommen wieder
JOE	Deine Pest wird ihnen Wasser und Feuer erklären wollen alle Blöcke von eins bis drei Sie werden die Hüte ziehen ihn beschimpfen deinen Verlust beklagen Du kannst mit einem Jahrhundert rechnen ehe sie auf dem Absatz wenden
JOAN	Sie werden gleich da sein und meine Schrift bemängeln
JOE	Deine Schrift
JOAN	*zornig* Meine Kreuzstriche
JOE	Ich kenne sie Achtung Mörtel
JOAN	Sie waren so
JOE	Reib dir die Sohlen nicht wund
JOAN	So

JOE	Ja
JOAN	Der Dauphin beugte sich ihnen
JOE	Ich weiß gar nicht mehr worum es ging
JOAN	Drei Kreuze
JOE	Laß das vierte Der Mörtel ist hart
JOAN	Ich will da sein
JOE	Wir nehmen jetzt ein Boot Schnell durch das letzte Becken Noch ein Jahrhundert zwischen dich und deine Inspekteure Spring *Geräusch des Wassers Ruderschläge*
JOE	Kennst du Boote
JOAN	*zögernd* Nein
JOE	Aber Ochsen und Hühner und den Dauphin
JOAN	Ja
JOE	Landstrecken
JOAN	Genug
JOE	Felder
JOAN	Hier schaukelt es
JOE	Flache Straßen Du hast ein genügsames Herz Joan
JOAN	Woher ist das Boot
JOE	Ich vertäue mir hier und dort eins
JOAN	Behältst du den Überblick
JOE	Soviel ich davon brauche Streck die Beine aus Mach es dir bequemer Und behalte den Kai im Auge
JOAN	*bedrückt* Ja den Kai
JOE	Die Barren Blöcke
JOAN	Und Blockschließer Wärter
JOE	Man wird dich nicht mehr plagen
JOAN	Ist das Museum dicht

JOE	Dicht und staubig
JOAN	Und wenn sie doch kommen
JOE	Helfen uns andere Wir sind dann wertvoll Die Seeluft bewahrt uns Und unsere Heimatländer Ich halte dich wenn uns die Schulklassen streifen Am Eingang verkaufen die Wärter unsere Bilder Joan und Joe Ein Souvenir an die Welthäfen an die versöhnten Völker die getreuen Verwalter die sachten Oberhäupter die Kronen die über die Knie reichen Mit Luftschlitzen
JOAN	Man muß die Ehrfurcht behalten
JOE	Ja Joan
JOAN	Und sich nicht rühmen lassen
JOE	Nein nein
JOAN	Du mußt dafür sorgen Joe
JOE	Wenn ich nicht reiche lassen wir deine hölzernen Gelenke klappern Oder du atmest
JOAN	Reicht das denn
JOE	Für die einen die Klapper für die andern die Luft Das reicht Laß mir die Pausen *Als sie schweigt* Wenn alle fort sind bring mir das Gesetz von den Abständen bei Ersticken und dasein
JOAN	Wenn ich es dann noch kann Vielleicht daß ich mich an Katharina von Polen übe
JOE	An wem du willst
JOAN	Mach schneller
JOE	Behältst du den Kai im Auge
JOAN	Ich glaube ich sehe sie Sie sind eilig
JOE	Aber noch nicht groß
JOAN	Nein

98

JOE	Sie werden klein bleiben Mit verrenkten Hälsen Und der Hafenmuseumsbewacher wird sagen Nichts meine Herren
JOAN	*nachdenklich* Nichts meine Herren
JOE	Ist dein Blockschließer dabei
JOAN	Es läuft einer voraus
JOE	Jetzt spring Gib auf die Stufen acht
JOAN	Stufen kenne ich
JOE	Ich weiß Du kennst allerhand *Rufe von Kindern*
JOAN	Und wer schreit hier
JOE	Die Kinder aus dem Kindergarten für die Hafenarbeiter
JOAN	Die
JOE	Die passen Joan Kein Gatter für einen von uns An denen kommen wir gut vorbei
JOAN	Und wenn doch eines von ihnen mit mir klappern möchte
JOE	Es sind späte Kinder
JOAN	Dann komm *Museumsraum Gewirr von Kinderstimmen*
KIND	Joe ist schöner
LEHRERIN	Nicht anrühren
KIND	Nancy hat den Saum gestreift
KIND	Joes Saum *Gelächter*
EDWARD	Joan ist besser
LEHRERIN	Erkläre uns das Edward
EDWARD	Nur besser *Wieder Gelächter*
NANCY	*flüsternd* Klapperst du mit ihr

KIND	Nein Getrau ich mir nicht
LEHRERIN	Du fandest Joan gut Edward
EDWARD	Besser
LEHRERIN	Sag uns weshalb
KIND	Nancy hat schon wieder den Saum gestreift Fräulein
LEHRERIN	Geh zurück Nancy Zurück Alle zurück
NANCY	Edward soll es sagen
LEHRERIN	Weshalb ist Joan besser Edward
NANCY	Sein Papa fährt Milch aus *Kichern*
KIND	Und schwappt sie über die Vorplätze
NANCY	Edward möchte Milch von Joan Fräulein
KINDER	*schreiend* Ja ja
NANCY	Mir hat ers selbst gesagt
KIND	*flüsternd* Klapperst du jetzt mit ihr
NANCY	Gleich
LEHRERIN	Ich frage Edward
EDWARD	Joan ist dünn
KIND	Nancy will mit ihr klappern Fräulein
NANCY	Joe ist auch dünn
EDWARD	Joan ist aber dünner
LEHRERIN	Und ist das alles Edward
EDWARD	Sie ist deshalb besser Ich will Joan nicht melken Fräulein *Klappern wie von einer Kinderklapper*
EDWARD	*verzweifelt* Ich will es nicht ich will nicht
KIND	Das war Nancy Fräulein
LEHRERIN	Nancy ich werde dir später Bescheid sagen *Klatschen* Weiter weiter Es warten noch andere Räume auf uns

	Man hört die Kinder gehen
NANCY	*schon entfernt leise* Er wollte es doch
	Stille
JOE	Du hast nicht geatmet Joan
JOAN	Zweimal
JOE	Nancy hätte es gemerkt
JOAN	Es war eine Übung
JOE	Oder du hast nur den Akzent aus dem Atem gebracht weil der Atem die Akzente übertreibt wie Hast ihn abgesäbelt hast lange Pausen gemacht
JOAN	Da helfen Pausen nicht
JOE	Pausen Pausen Nenn es wie du willst aber beeil dich bring es mir bei ehe sie uns vielleicht doch hier finden dein Blockschließer und die beiden andern
JOAN	Edward war gut
JOE	Was sagst du
JOAN	Und Nancy
JOE	Soll die auch gut sein
JOAN	Sie erinnert mich an etwas
JOE	Die kann einen an allerhand erinnern
JOAN	Aber Edward war gut
JOE	*verzweifelt* Edward war gut *lauter* gut gut und Edward Er wars Edward wars Er war gut Gut gut Ein Milchfahrerjunge mit zu kurzen Armen
JOAN	Die hatte vielleicht auch seine Großmutter
JOE	Seine Großmutter Edwards Großmutter Und Nancy erinnert dich an etwas Sie werden gleich hier sein aber Nancy erinnert dich
JOAN	Sei ruhig

JOE	Sie hat mit deinen Knochen geklappert
JOAN	*als lachte sie* Fräulein Fräulein
JOE	Willst du nicht ihren Mut loben ihre gescheiten Finger Los los Joan War der Klang nicht gut War ihre Hand nicht angenehm
JOAN	Nein
JOE	Und als sie vom Melken anfing
JOAN	*stolz* Melken kenne ich
JOE	*bittend* Joan
JOAN	Da war nicht viel dabei
JOE	Joan ich kannte deine Mutter nicht als sie noch ein Kind war Ich bin nicht mit dir und deinen Brüdern auf euren Weiden umhergestapft hatte keinen Einblick in die Ställe keine Pflicht lähmt dich an mir deine Pflicht zu tun Ich kann dich bei nichts beschwören das uns gemeinsam wäre
JOAN	Die Fahrt durchs Hafenbecken
JOE	Dann bei ihrer Kürze und Bemessenheit auch bei dem schönen Irrsinn uns selbst hier ins Museum zu stecken stellen
JOAN	Stecken
JOE	Wo Nancy mit deinen Knochen klappern kann Joan sag es mir *Als Joan nicht antwortet* Es muß eine Rechnung sein eine Abstandsrechnung
JOAN	Ich kann es nur
JOE	Ich habe Nautik gelernt aber von deinen Abständen weiß man an keiner Fakultät etwas Nein das wissen sie nicht wie man das Atmen ausläßt abhält gering macht wie man die gemeinsten von allen Windstößen an die Wand spielt Da stehen sie mit ihren offenen Mündern

und lehren aber meinst du einer hörte auf zu
atmen und lehrte weiter Keiner

JOAN   Da stehst du hier und hältst mich

JOE   Wir sind eine hübsche Leihgabe Aber wenn wir
die Luft einziehen sind wir nichts

JOAN   Du mußt es so machen So *Nach einer Pause* So

JOE   So

JOAN   Nein

JOE   So

JOAN   Auch nicht

JOE   Sie werden gleich da sein

JOAN   So Du mußt die Schultern nein nicht die Schultern die Arme du mußt den Brustkorb oder sind
es die Beine du darfst die Beine nicht gekreuzt
halten

JOE   Dann so

JOAN   Die Zehen locker die Finger müssen hängen

JOE   Wer soll dich dann halten

JOAN   Hier ist ein Haken Häng meinen Finger dran
Nein nimm den zweiten Nicht zu stark So Jetzt

JOE   Ich atme immer noch

JOAN   Es wird jetzt besser

JOE   Du willst mich trösten

JOAN   Es braucht Übung

JOE   Der Abstand vergrößert sich nicht

JOAN   Du bist ungeduldig Joe

JOE   Das war immer meine Stärke

JOAN   Lehn dich zurück

JOE   Ich lehne mich zurück

JOAN   Mehr

JOE   Mehr Und

JOAN	*leise* Da ist jemand
JOE	Nur einer
	Etwas nachschleifende Schritte die durch- und vorbeigehen
JOE	*lauter* Ein lieber Mann mit einem Holzfuß veranlaßte mich meinen Atem kurz anzuhalten
JOAN	Mit einer Nase
JOE	Ein lieber Mann mit einer Nase
JOAN	Beim Sprechen mußt du mehr Luft ausstoßen *Nach einer kurzen Pause* Daß dir weniger bleibt
JOE	Ach ja Joan
JOAN	Er hat nichts gemerkt
JOE	Jetzt wirst du gesprächig Solange du nicht altertümlich wirst freut mich das Joan Mit deinen drei Kreuzen *Als Joan schweigt* Ich versuche nur mehr Luft loszuwerden
JOAN	Ich höre
JOE	Mit unwichtigen Einwürfen *Leichtes Klappern*
JOAN	Jetzt ist mein Arm wieder unten
JOE	Ich bringe ihn wieder an Halt still *Zornig* Museumshaken
JOE	Damit müssen wir auskommen
JOAN	Ja ja Ich könnte jetzt auch vom Himmel anfangen aber ich tus nicht
JOAN	Vielleicht kommt niemand mehr
JOE	Diese Schulklasse oder was es war muß zurück Und auch der Holzfuß
JOAN	Ich verlasse mich angesichts der Feuchtigkeit auf alles rundherum Auch angesichts der Feuchtigkeit
JOE	Jetzt buchstabierst du

JOAN	Ich habe auch Angst
JOE	Auch Angst
JOAN	Und Furcht
JOE	Wir wollen Nancy ruhig heranlassen Joan Nancy die Inspekteure den Blockschließer von dem du zugelassen hast daß man ihn dir aufhalste den Holzfuß klapp klapp zurück
JOAN	Auf dem Rückweg werden sie sachter sein
JOE	Eiliger wenn wir Glück haben Aber darauf wollen wir uns gar nicht verlassen Zum Teufel mit der Vokabel
JOAN	*lacht*
JOE	Schon besser
JOAN	*muß niesen*
JOE	Halt still
JOAN	Kennst du das Lied BOSTON FÄHRT HERUM
JOE	Nein
JOAN	Von einem alten Mann in der Stille seines Studierzimmers
JOE	Werde keine Schulklasse Joan
JOAN	Hier ist noch ein Nagel Daran kannst du meinen Gürtel hängen
JOE	Wenn ich dir nur glaubte was du nicht sagst
JOAN	Mich wunderts daß ein ehemaliger Seemann ein solches Lied nicht kennt Boston
JOE	Zum Teufel mit Boston
JOAN	Dort spielt es Oder ganz nahe davon
JOE	Ich weiß ich weiß Es ist Mode daß eine Menge Dinge dort spielen Oder ganz nahe davon Wir nicht

JOAN	Wir sind kein Lied *Bedrückt* Man wird ausgenützt
JOE	Da wäre ich an deiner Stelle noch nicht so sicher
JOAN	Es passieren die dümmsten Dinge Im Vorgarten eines Hauses Säulenportal aus der Zeit des der Zeit die für die neue Welt der Zeit die der Zeit
JOE	Sprich leise langsam wenig
JOAN	Schritte
JOE	Gut Joan
JOAN	Der Holzfuß
JOE	Unsere Inspekteure kommen nicht mehr
JOAN	Mein Kleid reißt
	Wieder Schritte die durchgehen
JOAN	Und das liegt an der Seide
JOE	Ssst
	Stimmen einen Stock tiefer
JOAN	*ruhig* Jetzt kommen sie
JOE	*aufgeregt* Halt still damit die Seide nicht kracht Laß keinen Ärger hören Lach nicht lach nicht Und auch sonst nichts
JOAN	*freundlich eher abschließend* Joe *Die Stimmen nähern sich die Treppen herauf klingen als wären es viele Dann Stille Wenn die Stimme des ersten Inspektors einsetzt ist es ohne Übergang Türenschließen oder ähnliches mitten aus der Debatte*
1. INSPEKTOR	Karl der Vierte sage ich
2. INSPEKTOR	Es ist alles im Übergang Manschette Ärmel Bordüre Wie wir wissen gleichen sich die Zeichen der Übergänge oft mehr als die der Zeiten zu denen sie führen

1. INSPEKTOR	Das ist umstritten
2. INSPEKTOR	Die Schuhe lassen eher auf Karl den Dritten schließen
1. INSPEKTOR	Der Rest der Schuhe Leider ein ziemlich geringer Rest
2. INSPEKTOR	Sie muß viel gelaufen sein
PEDRO	*aufgeregt* Ich weiß es Ich kann den Herren sagen daß sie zu ihren Tagen viel gelaufen ist Aber solange ich sie habe habe ich sie geschleppt Und das sind gute drei Wochen Nein das ist schon mehr her
2. INSPEKTOR	Die Art wie die Schuhsohlen abgenützt sind läßt noch an anderes denken
PEDRO	Geritten ist sie auch
1. INSPEKTOR	*ärgerlich* Woher weißt du das
PEDRO	Wenn sie geredet hat
2. INSPEKTOR	Zu dir
1. INSPEKTOR	Lassen Sie ihn
PEDRO	Sie hat in die Luft geredet
1. INSPEKTOR	Du warst ein schlechter Aufpasser
PEDRO	Auf das habe ich genau hingehört
1. INSPEKTOR	Schauen hättest du sollen
PEDRO	Ich habe sie genau siebenundzwanzigmal durch die Gatter gezerrt Ich bin ein Blockschließer Wenn ich schließe kann ich nicht schauen Und dabei habe ich geschaut
1. INSPEKTOR	Ja ja ja
PEDRO	*gelassen langsam* Edinburgh Edinburgh Edinburg Edinburgh
1. INSPEKTOR	Was sagt er
2. INSPEKTOR	Edinburgh

PEDRO	Sie hat es auch gesagt
2. INSPEKTOR	Und der daneben
PEDRO	Wer
2. INSPEKTOR	Der Kerl aus Holz den sie bei sich hat
PEDRO	Eh ich wegging war er noch aus Papier
2. INSPEKTOR	Das ändert sich oft rasch
PEDRO	Und redete wie sie
1. INSPEKTOR	Das müßte man herausfinden Die Herkunft der Nebenfiguren erhellt dann leicht den Rest
PEDRO	Ein abgeheuerter Seemann ist er Frühzeitig abgeheuert
2. INSPEKTOR	Sehr frühzeitig
PEDRO	Stewart war er auf der Concord Zuletzt Dann gings rasch abwärts
1. INSPEKTOR	Denken Sie an Karl den Zweiten
PEDRO	Wenns einer einmal bis zum Stewart herunter gebracht hat kommt nicht mehr viel
JOAN	*kichert*
2. INSPEKTOR	Ist hier noch jemand
PEDRO	Der Zweimaster klappert
1. INSPEKTOR	Es zieht hier
2. INSPEKTOR	Die ganze Anstalt liegt zu nah am Wasser
1. INSPEKTOR	Er soll jetzt gehen Wie heißt du Paul Pedro
PEDRO	*mürrisch* Was soll mein Name Paul Pedro
1. INSPEKTOR	Du warst zu nichts
PEDRO	Ich schaue nur nach ob die Fenster dicht sind
1. INSPEKTOR	*leiser* Untauglich
2. INSPEKTOR	Man hätte es wissen können
1. INSPEKTOR	Er sah nicht so aus Der Eindruck war verläßlich
2. INSPEKTOR	Ein verläßlicher Blockschließer
PEDRO	*vom Fenster* Hier herüben ist alles undicht

1. INSPEKTOR	Du kannst jetzt gehen
PEDRO	Ich bleibe noch
2. INSPEKTOR	Wozu
PEDRO	Abwarten Bin selten im Museum
1. INSPEKTOR	Jetzt wird er aufsässig
2. INSPEKTOR	Wir erfahren dann mehr
1. INSPEKTOR	Bleib eben
PEDRO	Ich brauche keine Genehmigung Bin selber aus dem Viertel
1. INSPEKTOR	Bin bin
PEDRO	Jetzt fängt der auch so an
2. INSPEKTOR	Jeder wann er kann
PEDRO	*noch vom Fenster* Und ich sag es noch einmal Ich habe sie siebenundzwanzigmal durch die Gatter gezerrt Es wären auch noch Spuren Vom Scheitel bis zur Sohle Wenn nicht die Sohlen alles verwischt hätten
2. INSPEKTOR	Sie hätte draufgehen können
PEDRO	Ach was
1. INSPEKTOR	Wir wollen nichts mehr hören
PEDRO	*klappert mit den Fensterrahmen*
1. INSPEKTOR	Laß die Fenster zu
PEDRO	Da war der Haken nicht drin Der Fensterhaken
2. INSPEKTOR	*leise* Wir wollten noch etwas hören
1. INSPEKTOR	*ebenso* Das kommt schon
PEDRO	Dann wundert man sich wenn die Fregatten abblättern
1. INSPEKTOR	Man wundert sich bald über nichts mehr
PEDRO	Wahr wahr
1. INSPEKTOR	Wenig kunstvoll wie das Kleid angebracht ist
2. INSPEKTOR	Aber durchtrieben Es hält

1. INSPEKTOR	Es reißt
2. INSPEKTOR	Dann liegt es an den Haken
1. INSPEKTOR	Sehen wir nach dem Wärter
	Sie entfernen sich
PEDRO	*flüsternd* Joe Wie hast dus gemacht daß du plötzlich aus Holz bist He Joe Sags mir Und daß dein Zeug so frisch gelackt aussieht Und alt Wie machst du das Der atmet gar nicht
JOE	Ssst
PEDRO	Jetzt hab ich euch Ich geh auch ins Museum Ich habe genug davon den Blockschließer zu spielen *Beginnt zu pfeifen* Dein Lieblingslied Ich lehn mich neben euch
JOAN	*ängstlich* Nicht
JOE	Untersteh dich
PEDRO	Ich untersteh mich
JOE	Dann reißt ihr Kleid und sie finden uns hier alle übereinander Du hast uns jetzt geholfen Hilf uns weiter *Als Pedro schweigt* Hilf uns Was hast du an ihr Du mußt sie durch die Gatter zerren Und an mir Wir sind schlecht zu bewachen
PEDRO	Ja schlecht
JOE	Rasch Geh ans Fenster
JOAN	Sie werden wiederkommen
PEDRO	Sag mir vorher wie dus gemacht hast Joe Nur wie der Firnis auf deine Jacke kommt und wieder springt
JOE	Joan bringt mir alles bei
PEDRO	Die Atempause
JOE	Sie war bescheiden Aber ich kann noch zulernen wenn sie uns nicht trennen und uns aus dieser

	Ecke zerren Irgend etwas auf ihre verdammte exakte Weise mit Drähten Horchgeräten oder nur mit den Fingern
PEDRO	Zulernen Länger die Luft nicht einziehen
JOE	Und besser
PEDRO	Dann lern rasch zu Ich hab es auch satt
JOE	Lern du auch zu Lern zu es satt zu haben Sie kommen Lern gut zu Blockschließer Sättigungs-grad sieben ist das mindeste
PEDRO	Sieben zum Teufel *Vom Fenster her Verändert* Eins zwei drei vier fünf sechs sieben Sieben Schrauben locker Da muß es klappern
1. INSPEKTOR	Weißt du wo der Aufseher ist
PEDRO	*mürrisch* Vielleicht gegangen Der geht oft Geht rasch durch dann geht er kommt wieder geht wieder rasch durch
2. INSPEKTOR	Da unten ist noch eine Schulklasse
1. INSPEKTOR	2 B aus der Grundschule
PEDRO	2 B Sieh an
1. INSPEKTOR	Ich habe mich erkundigt
PEDRO	Dann kommt er wieder geht wieder rasch durch
1. INSPEKTOR	Hör auf
PEDRO	Ich glaube ich kenne ihn Den einen Er ist ganz gut Alte Schule Hält die Gallionsfiguren in Trab
1. INSPEKTOR	*scharf* Das liegt dir wohl
PEDRO	Mir liegt gar nichts
2. INSPEKTOR	*einlenkend* Im Trab Das besorgen jetzt die Kinder
PEDRO	*störrisch* Und was das Gute ist Mir muß auch nichts liegen Das ist das Gute dran
1. INSPEKTOR	Im ganzen sind hier unhaltbare Zustände Die

	Feuchtigkeit Grundschulklassen die nicht herge-hören Kein Aufenthalt
PEDRO	Gehen wir
2. INSPEKTOR	Du wolltest bleiben
PEDRO	Ich wechsle meine Absichten so regelmäßig wie möglich
1. INSPEKTOR	Unklassifizierte Objekte wer weiß wie viele noch
PEDRO	Ich wollte bleiben
1. INSPEKTOR	Am besten wir melden die Zustände und stellen alles anheim
2. INSPEKTOR	Ein altes Verfahren
PEDRO	Jetzt klappert auch die Tür
1. INSPEKTOR	Wir sind nach einer Person ausgeschickt Jetzt sind es zwei Niemand hat mit dem Mann gerechnet der sie hält
2. INSPEKTOR	Verändert das den Auftrag
1. INSPEKTOR	Beträchtlich Die Feststellung der Zeitalter die Einordnung allein die Untersuchung Ich würde nicht wagen hier viel zu berühren Es könnte die Art wie er sie hält verändern und uns um einige Schlüsse bringen
PEDRO	Ja ja die Schlüsse
2. INSPEKTOR	Ihre Person ist leicht zu klären
1. INSPEKTOR	Weniger denn je Vermutungen Voreiligkeiten die wir uns nicht leisten können
PEDRO	Die blöden Schlüsse und die blöden Anfänge Und erst der viele Blödsinn dazwischen
1. INSPEKTOR	Der Kerl soll den Mund halten *Er niest*
PEDRO	Sehr zur Gesundheit
1. INSPEKTOR	*niest wieder*

Joans Knochen beginnen zu klappern Eine Art
knöchernes Klavierspiel

1. INSPEKTOR   *während er sich schneuzt* Was ist das
2. INSPEKTOR   Schrecklich
PEDRO   Was sie nicht alles zuwege bringen Ich zu meiner
Zeit Aber es ist klar Der Luftstrom durch Fenster und Türen Und dann der starke Luftstrom
aus der Nase Knochen klappern gern
1. INSPEKTOR   Es muß das Schulkindergetrappel da oben sein
Die Wände zittern Das Haus ist ungeeignet
PEDRO   Mager ist sie auch
1. INSPEKTOR   Man sollte Schulklassen den Zutritt hier ver-
bieten Erst ab einer gewissen reifen Altersstufe
PEDRO   *ruhig* Ich will versuchen das in Ordnung zu
bringen *Seine Schritte Dann flüsternd nur knapp*
hörbar Hör auf Joan
JOE   *ebenso* Sie kann nicht
PEDRO   *laut* Das haben wir gleich
1. INSPEKTOR   Rühr sie nicht an
PEDRO   Ich kenne schon die Griffe *Flüsternd* Denk an
die Gatter Joan als lägst du drunter *Laut* Ich
sage ja das haben wir gleich *Wieder flüsternd* Da
wo der Boden am nächsten ist Als lägst du
drunter wie du oft drunter gelegen bist
Das Klappern jetzt leiser und langsamer
1. INSPEKTOR   Was sprichst du dort
PEDRO   Ich wiederhole mir nur was zu tun ist Eins zwei
drei und so fort *Leise* Du bist schon besser Gut
Joan Du weißt man kann es Man kann auch
noch das schwächste Geklapper fortlassen Du
bist sehr gut Joan *Laut* Es ist jetzt fast vorbei

	Und wenn erst das Getrappel da oben ein Ende nimmt
1. INSPEKTOR	Das wird immer wilder
PEDRO	Es ist dann bald zu Ende
2. INSPEKTOR	Meinst du was wild ist ist auch abzusehen
PEDRO	Darauf kann man leicht kommen
2. INSPEKTOR	Vielleicht bist du doch ein guter Aufseher Pedro Und eines Tages treffen wir uns wieder und besprechen die Aufseherpflichten neu
PEDRO	Wie Sie wünschen Herr Aber eines Tages ist immer gut
1. INSPEKTOR	Wir sind hergekommen um einzuordnen endlich festzustellen um an Kleid und Haartracht zu erkennen
2. INSPEKTOR	Die Haartracht ist aber zerstört
PEDRO	Und das Kleid schleißt
1. INSPEKTOR	Der Wärter muß her
2. INSPEKTOR	Die Schuhe sind auch ruiniert Unfeststellbar Wie von Feuer
PEDRO	Die Haken sind zu grob hier
1. INSPEKTOR	Unverantwortlich für ein Objekt wie dieses
PEDRO	Ich bin nicht schuld dran
1. INSPEKTOR	Wir vertun die Zeit Hafenmuseen sind schlechte Ideen und schlechte Aufenthalte Hier kann man nicht arbeiten Wir sind nicht freigestellt um herumzustehen
JOAN	*leise* Französische Gedichte
1. INSPEKTOR	Hier wispert es
PEDRO	Das ist das beste hier Oder vertragen Sies nicht Dann muß man es abstellen
NANCY	*von der Tür her leise deklamierend* Im Scheine

dieses Mondes nur dieses Mondes steht mein
Freund Edward neben mir steht dicht bei mir
Verändert Komm her Milchfahrerjunge Die
koppeln wir jetzt los deine Dame Joan die dir
so gut gefällt Sie fällt dann auf dich Und alle
ihre Rippen

EDWARD   Laß es Laß sie in Frieden Nancy

NANCY   O nein Die machen wir los Ganz los von ihren
krummen Haken

EDWARD   Ich sags dem Fräulein

NANCY   *spöttisch* Du sagsts dem Fräulein

EDWARD   Sie ist Museumsbesitz Das Fräulein sagt sie hätte
einen Wert von über von über Viel sicher

NANCY   Ich mach sie los

EDWARD   Du mußt sie zahlen

NANCY   Die ist nicht kostbar Sie kann sie nicht mehr
drehen Sie ist alt Fünfhundertzehn und mehr
Sie fällt auf dich

EDWARD   Laß sie Du sollst sie lassen

NANCY   Ich zahl sie gern das alte steife Stück Ich wind
sie ihrem Seemann aus den Händen Der ist auch
alt

EDWARD   Hör auf

NANCY   Dann zerr ich sie an ihrem dünnen Haar

2. INSPEKTOR   *ruhig* Weshalb willst du das tun Nancy

EDWARD   Hier ist noch jemand

NANCY   *ungerührt* Damit man alle kahlen Stellen auf
ihrem Schädel sieht Fünfhundertzehn Was ist
denn gut an der

EDWARD   Komm zu den andern Nancy

NANCY   Nein

2. INSPEKTOR	Weshalb willst du Joan quälen
NANCY	Vielleicht freut sie sich So alte Leute sind oft froh wenn es noch ärger wird
2. INSPEKTOR	Aha
NANCY	Und wenn man ihr verbogenes Gestell sieht Ich kenn das Meine Großmutter zieht sich oft vor mir aus Sie ist ganz schräg Die paßt in keinen Sarg mehr Und meine Großmutter ist erst achtzig oder hundertsechzig Mehr nicht
2. INSPEKTOR	Du möchtest Joan also eine Freude machen Nancy
EDWARD	Lassen Sie sie nicht
NANCY	Ich will Edward eine Freude machen Das will ich
EDWARD	Unser Fräulein kommt gleich
NANCY	Edward freut sich auch noch wenn sie auf ihn fällt wenn sie ihn anflennt einzwickt mit ihren dürren Rippen Der freut sich eine Weile eh er sich nicht mehr freut So ist der Aber dann zwickt es ihn dann versucht er doch seine Joppe aus ihren Fingern zu kriegen und das dürre Stroh das sie noch auf dem Kopf hat aus seinem Mund Er ist ein Milchfahrerjunge das ist er Sein Papa fährt Milch aus Der schreit auf allen Höfen Milch Milch
2. INSPEKTOR	Nur weiter Nancy Du bist noch nicht zu Ende
NANCY	Nein Plötzlich verlangt es ihn nach Milch Er merkt daß aus der Bohnenstange kein Tropfen kommt Er preßt sie fest an sich und stößt sie wieder weg Es kommt nichts nein es kommt nichts Dann bricht er ihr die Knochen Fünf-hundertzehn

1. INSPEKTOR	Woher der Balg das hat
2. INSPEKTOR	Bist du zu Ende Nancy
1. INSPEKTOR	Man sollte es notieren Vielleicht doch ein Hinweis
NANCY	Dann dreht er sich mit mir Er sagt du Süße wo kommt deine Milch her Wie kommt es Nancy daß du soviel Milch hast sagt er
1. INSPEKTOR	Fünfhundertzehn Das ließe viele Arten von Schlüssen zu
NANCY	Er sagt du Süße wie kommt es daß du mit den verkehrten Wimpern doch soviel Milch hast Ich saug an deinem Kinn da kommt sie schon
EDWARD	*zornig* Sei still
NANCY	Und Joan sag ich Ach sagt er dieser Haufen Staub und Tränen diese Fregattenmamsell die sich von einem Gipskerl halten läßt Was sollen wir mit der noch Ihr Stroh klebt mir im Mund und ihre Rippen stechen
2. INSPEKTOR	Du bist jetzt fertig Nancy
NANCY	Fünfhundertzehn
1. INSPEKTOR	Das hat etwas zu sagen
	Schritte auf der Treppe
EDWARD	*erlöst* Die andern kommen
NANCY	*vergnügt* Die andern andern andern Und das Fräulein
EDWARD	Ich sag ihr alles Alles was du gesagt hast
NANCY	Ja sag ihr alles
1. INSPEKTOR	Ich hätte gerne noch eine Weile zugehört
PEDRO	Ich auch Es ist ein Jammer Ich bin immer fürs Weiterführende
2. INSPEKTOR	Da sind sie

NANCY	Ich sags ihr Fräulein Fräulein
LEHRERIN	Schon wieder Nancy und Edward
NANCY	Edward wollte zu Joan
LEHRERIN	Stimmt das Edward
EDWARD	Nicht mit Nancy Fräulein Ich wollte zu Joan aber ich wäre nicht gegangen Ich wollte allein zu Joan
NANCY	Das wollte er aber ich nahm ihn mit Hier sind auch noch drei Herren
2. INSPEKTOR	Lehrer Inspektoren Nancy wußte hübsche Einzelheiten aber sie verwirrte sich Sie kam ins Plaudern
1. INSPEKTOR	Zahlen wußte sie
2. INSPEKTOR	Ist Joan Ihr Fach *Gelächter der Kinder*
LEHRERIN	*zornig* Nein
1. INSPEKTOR	Schade
LEHRERIN	Ich bin hier um den Kindern eine Ahnung von den abgebrannten Vierteln zu geben Plänen Fregattenmodellen Takelagen *Erschöpft* Die Klasse ist zu jung
2. INSPEKTOR	Wir hatten nicht den Eindruck
LEHRERIN	Gehen Sie mal mit ihnen hier durch
2. INSPEKTOR	Wir sind nur wegen Joan hier
LEHRERIN	*verwundert* Wegen Joan
1. INSPEKTOR	Alter genaue Herkunft Um ihren Wert für die Nation festzustellen
NANCY	*kichernd* Für die Nation
LEHRERIN	Halt den Mund Nancy Ihr kommt nicht mit auf die Fahrt durchs Hafenbecken du und Edward
NANCY	*spöttisch* Schade

LEHRERIN	Und ich werde noch mehr tun
NANCY	Lassen Sie Edward bei Joan knien Fräulein
KINDER	Edward weint Fräulein
NANCY	Er hört dann auf
LEHRERIN	Was ich lasse oder nicht lasse ist meine Sache
NANCY	Ganz sicher
PEDRO	Still jetzt
NANCY	Gleich gleich
PEDRO	Ein verdammt freches Ding ist das Und geht schon wieder zu nah ran an die zwei
2. INSPEKTOR	Ich dachte Edward wollte zu Joan Nancy Jetzt bist du näher dran
NANCY	Weil ich so gern die Knochen klappern höre Schön hohl
2. INSPEKTOR	Fünfhundertzehn
NANCY	Das auch Da hören Sies
	Stille
NANCY	*verblüfft* Die klingen gar nicht mehr Die sind jetzt still
2. INSPEKTOR	Schön still Und weshalb meinst du Nancy
NANCY	Weiß ich nicht Weshalb meinst du Edward
EDWARD	*schnauft durch die Nase*
NANCY	Der spuckt gleich
PEDRO	Der sollte längst schon spucken Und deine Knochen klappern lassen
EDWARD	Ich sollte sie ihr brechen
PEDRO	Noch besser
NANCY	Joan weshalb klingst du nicht Machts dir keinen Spaß mehr *Die Silben betonend* Keinen Spaß mehr *Wieder normal* Hast du genug von uns
LEHRERIN	*klatscht in die Hände* Wir gehen jetzt

NANCY	Hörst du das Joan
2. INSPEKTOR	Wir schließen uns am besten an
1. INSPEKTOR	Vorläufig
PEDRO	Ich bleibe noch
1. INSPEKTOR	Du kannst den Wärter suchen
PEDRO	Kann ich
NANCY	Sagst du denn deiner Joan gar nichts zum Abschied Edward
KINDER	Wiedersehen Joan Wiedersehen Joan
NANCY	*schon von der Tür her* Edward hat nichts gesagt
	Die Schritte entfernen sich
PEDRO	*vorsichtig* Ihr ward schön still ihr beiden Daß man sogar die Knochen still machen kann Hätte das keinem von euch zugetraut Ganz still Schön still Durchgebogen und doch ohne Atem Ohne Knochenklang Wenn ich euch jetzt die Rippen bräche ob es krachte He gebt mir Antwort Ihr ward wirklich ganz schön still Oder wenn ich dein Kleid zerrisse Joan deine himmelblauen Fäden Ob die jetzt krachten Sagt doch was Ob die noch Antwort geben Ich könnts gebrauchen wenn auch nicht zuviel davon *Nach einer Pause* Die sagen nichts Nichts Möchten mich zappeln lassen ihren alten Freund und Oberaufseher Joan Joe heraus mit eurer Antwort Und die muß sich gewaschen haben wenn sie jetzt kommt Eine saubere Antwort muß das sein Oder soll ich die rostigen Haken abbrechen an denen ihr hängt *Schwer atmend* Ich merke schon heute ist viel von Brechen die Rede Brechen

abbrechen zerfetzen Haken Knochen Kleider
Das muß in der Luft liegen In dieser Zimmer-
luft Die steht Da macht man was dagegen Redet
doch redet Sagt was *Verändert* Da ist der Kleine
wieder Edward

EDWARD   Ich bin zurückgekommen Meinst du Joan ich
mache mir was aus den Hafenbecken So wenig
wie aus Milch Wenn ich auch ein Milchfahrerjunge bin ich will keine Milch von dir Ich wollte
nur zurückkommen Fragen wer der Herr ist
der dich hält Er ist auch schön Joan aber du bist
schöner Er ist nur blank Du bist auch matt

PEDRO   Doch eine Milchfahrervorstellung

EDWARD   Dich melken das fiel nur Nancy ein mir nicht
Ich bin kein Melker Mein Vater sagt mir nicht
einmal woher die Milch kommt Der hat viel zu
viel davon Und ich wills auch nicht wissen Ich
will nichts von dir keinen einzigen Tropfen
Nicht einmal eine Antwort

PEDRO   Bescheidener als ich

EDWARD   *erschöpft* Ich wollte nur zu dir

PEDRO   Jetzt schläft der Kleine auch ein Das scheint mir
ein schläfriger Tag zu sein

EDWARD   Der Rest ist jetzt auf dem Hafenbecken und
redet Joan weißt du wie die schreien wenn sie
reden

PEDRO   Luft ein Luft aus Und schon beginnt das
Unglück

EDWARD   Die können nichts still sagen Ich lege mich zu
euch

PEDRO   Ich sags ja Macht doch was dagegen Jetzt lüm-

meln schon drei da und es werden bald noch
mehr wenn ihr nichts sagt Der Junge muß nach
Haus Zurück in seine bescheidenen Zustände
Den Milchfahrervater kommen hören Die Mutter am Fenster lehnen sehen Das muß der Junge
das sage ich euch damit er wieder ins Lot
kommt Ihr bürgt dafür Und ich muß auch nach
Hause Ich kann hier nicht noch länger warten
Wenn der Wärter kommt ist es ohnehin um euch
geschehen

EDWARD   Es ist angenehm bei euch
PEDRO   Komm jetzt Junge
EDWARD   Bist du noch hier
PEDRO   Ja aber mir fiels nicht ein mich deinen beiden da
             zu Füßen zu legen
EDWARD   Du wartest auch
PEDRO   Nein Nicht mehr lange Gesteiftes Knochen-
             mehl ist nichts für mich Die Seide die sich daran
             reibt gibt keinen Laut
EDWARD   Das muß sie nicht
PEDRO   Du verteidigst sie auf Biegen und Brechen
EDWARD   *mit Verachtung* Biegen und Brechen
PEDRO   Der Geschmack davon kommt einem hier ohne-
             weiters auf die Zunge
EDWARD   Dir
STIMME
VON DRAUSSEN Milch Milch Milch
PEDRO   Dein Vater
EDWARD   Den laß draußen
PEDRO   Käme mir auch nicht in den Sinn noch einen
             herein zu zerren

EDWARD	Der legt sich hier nicht nieder
PEDRO	Schon vorbei
EDWARD	Das war schnell diesmal
PEDRO	Vielleicht rief er nach dir
EDWARD	Vielleicht
PEDRO	Ein guter Vater
EDWARD	Wollte mir seinen Rest Milch anhängen Trink Edward damit du groß und stark wirst
PEDRO	Nicht schlecht Ein großer starker Edward
EDWARD	So einer werde ich nie
PEDRO	Weil du nicht willst Und ich sage dir warum du nicht willst Du willst dich diesen beiden hier angleichen Schwach werden wie Joan dürr wie Joe *Fröstelnd* Es wird jetzt schattig Ich gehe Komm mit Wir trinken noch ein Bier
EDWARD	Bier
PEDRO	Das hört sich besser an
EDWARD	Ja Besser schon
PEDRO	Bier Bier
EDWARD	Hör auf
PEDRO	Hier wirft uns doch nur der Wärter hinaus
EDWARD	Der kommt noch nicht
PEDRO	Ehe er schließt muß er kommen
EDWARD	Dann bleiben sie allein Der Schatten schluckt sie Sie werden dann noch dünner
PEDRO	Du nicht
EDWARD	*zögernd* Ich komme morgen wieder
PEDRO	Ja morgen Einer der die zwei erinnert wie kräftig ein Schluck Bier ist ein Zug Luft
EDWARD	Und eine ganze Nacht in das Bett zurück das mich auswendig kann

PEDRO	Komm starker Edward Das Bier wird dir gut tun Dreh dich nicht mehr um
EDWARD	Du bist gut
PEDRO	Ja ich bin gut
EDWARD	Gut gut Man muß alles öfter sagen *Die Tür geht*
JOE	*ruhig* Soviel Besuch auf einmal
JOAN	Du warst gut Joe
JOE	Zuerst wars höllisch Man muß alles öfter sein Aber ich war jetzt öfter gut eine halbe Stunde lang
JOAN	Dreimal geatmet Und das still genug
JOE	Ich hielt mich an dich
JOAN	*lacht* Eine Schulklasse
JOE	Viel Ehre Joan
JOAN	Der Wert für die Nation
JOE	Deine Inspektoren
JOAN	Wie sie aufpaßten auf Nancys Geschwätz und gleich hinterher liefen
JOE	Ob sie uns kennen
JOAN	Sollen sie
JOE	Ja Sollen sie uns kennen Oder nicht Ich kann jetzt pausieren mit dem was sein muß mit den lächerlichen Luftzügen Sollen noch mehr kommen Oder noch weniger Wir wissen wie die zusammengefügte Asche schmeckt vermengt mit Fluß- und Seewasser wie komisch die Könige sind *lacht hustet* alle Vorsitzenden
JOAN	Nimm dich in acht *Schritte*
JOE	*noch immer hustend* Da kommt noch einer

124

	Die Tür wird geöffnet
JOAN	*leise* Ein Wärter
JOE	*ebenso* Ich bin schon fertig
WÄRTER	Ist da jemand
JOE	*Hustet noch einmal schwächer Dann Stille*
WÄRTER	Ob da noch einer ist Dreck Fußstapfen Zugwind Wenn man einmal für einen Augenblick ins Freie tritt kommen die Schulklassen Die Fregatten stehen aber noch Das muß einen wundern *Er geht durch das Zimmer* Lucie Marie Sturmwind So möchte ich nichts nennen Glückliche Fahrt So auch nicht *Er hustet*
JOE	*sehr leise* Das war nicht ich Joan
JOAN	Sssst
WÄRTER	Hier ist doch jemand Ganz sicher

Seine Schritte Ein Fuß schleift nach

Man spürt sowas Jeden alten Leinenfleck der hier neu weht Aber die Fregatten sind noch in Ordnung Jede ein Glück für sich Was sage ich sonst wenn die Kommissionen kommen Lucie Marie Brave Schiffchen Und die durchtränkten Papiere dazu Alles vollständig
Er blättert
Alles so wie es war Wie ichs vor zweiunddreißig Jahren übernahm Was damals schon fehlte zählt nicht Die Stellung halte ich schon lange und es hat sich nichts geändert an der Stellung
Ein Augenblick des Schweigens und der Verblüffung
He wie kommt ihr denn her ihr beiden Sagte ichs nicht gleich daß da was ist Aber was das ist

Zerfleddert und die Fetzen an die alten Ofen-
haken gehängt Pfui Teufel nein ihr seid kein
Schmuckstück Wißt ihr das Und wie ihr riecht
Nach Leim und Knochenmehl feucht wie ihr
seid Mit euch tu ich nicht lang herum Für euch
ist auch der Keller noch zu gut He ihr
*Er stößt mit dem Fuß nach Joan und Joe Das
Klappern von Knochen*
Aber ich sags ja Besser zuviel als zuwenig Mit
euch mache ich leicht Schluß Herunter von den
Haken
Das Reißen von Seide
Ihr fallt recht leicht Ihr seid nicht schwer zu
befördern
Geräusch von Knochen die aufeinander fallen
Am besten ich kehr euch gleich weg Weiß Gott
an euch ist nichts an euch ist gar nichts Ihr stört
hier Ihr bringt die Symmetrie durcheinander
Ofenhaken Wem das eingefallen ist faule Seide
an Ofenhaken zu hängen Wie soll ich heizen
wenn der Sommer zu Ende geht Wem sowas ein-
fällt die zwei hier anzubringen Vielleicht den
blöden Kindern die man hierher schleppt Sicher
denen Jetzt weg hier in den Hof Und von dort
karre ich euch an die Hafenbecken Das sind
Ermessensfragen und das Ermessen ist meins Die
Aufsicht über euch habe ich nie übernommen
*Noch einmal und noch stärker das Geräusch von
Knochen oder Hölzern die durcheinander fallen*
Die geben nicht einmal auf Fußtritte Antwort
Wenn ihr reden könnt dann sagt was Ich hole

	jetzt den Karren *Schon von der Tür her* Sagt
	doch was Sagt was
	Die Tür geht Ein Augenblick des Schweigens
JOE	War ich gut Joan
JOAN	Als deine Gelenke brachen habe ich dich be-
	wundert Du warst gut Und ich
JOE	Du warst sehr gut Auch als dein Kleid riß
JOAN	Ich glaube Joe wir beide sind gut
JOE	*ruhig* Wir sind sehr gut
	Im Freien
	Klappern von Holz oder Knochen das näher
	kommt
JOAN	Meinst du daß wir vorankommen
JOE	Mir klebt dein Auge zwischen drei von deinen
	Rippen
JOAN	Und ich habe einen Fetzen Drilch unter deiner
	Fußsohle
JOE	Dein Auge zwickt
JOAN	Und kommen wir voran
JOE	Es näßt mich Zwischen deinen Rippen hindurch
	tränt es auf die meinen Doch doch Joan Ich
	glaube wir kommen voran

Die Dimensionen
der Atemlosigkeit

Von Heinz F. Schafroth

Du hast nicht geatmet ... Oder du hast nur
den Akzent aus dem Atem gebracht weil
der Atem die Akzente übertreibt ... hast
ihn abgesäbelt hast lange Pausen gemacht.
Ilse Aichinger, ›Gare Maritime‹

Sie lese schwierige Texte so, wie sie etwas suche, das verloren-
gegangen ist, indem sie zuerst das Suchen suche, die Form des
Suchen, äußerte Ilse Aichinger in einem Fernsehinterview, auf
die Frage, ob sie ein Rezept geben könne, ihre Texte zu lesen.
Und sie fuhr fort: »Wenn ich die Form zu suchen gefunden
habe, merke ich, daß ich eigentlich die Form zu finden gefunden
habe, im Fall des Textes, die Form zu lesen, und daß Lesen
und Schreiben wie Suchen und Finden sich einander bis zur
Identität annähern können.«

Die Schwierigkeiten, die sich beim Lesen von Aichinger-Tex-
ten allenfalls einstellen, müßten demnach schon fürs Schreiben
vorauszusetzen sein, wer nachvollzieht, wie Ilse Aichinger
schreibt, wüßte, wie ihre Texte zu lesen sind.

Aber vielleicht sollten die Schwierigkeiten zunächst in Frage
gestellt werden, könnte der Versuch gewagt werden, sie für
einen Augenblick wegzudenken. Es bedingt, daß ein Leser
seiner Ratlosigkeit vorerst mißtraut und sie als eine Form der
Voreingenommenheit verdächtigt. Voreingenommenheit, die
beispielsweise die Einsicht verhindert, daß jedem von Ilse
Aichingers überraschenden Sätzen im Grund eine unanfecht-
bare Verständlichkeit eignet, vom ersten des Buchs: *Ich gebrau-*
che jetzt die besseren Wörter nicht mehr, bis zum letzten: *Ich*
glaube wir kommen voran. Solche Sätze – und es gibt keine
anderen – sind ohne Umwege über Symbolik, Mystizismus,
Hermetik geschrieben, so sollen sie auch gelesen werden, sie
können BEIM WORT GENOMMEN werden. Wer den Sät-

zen zutraut, daß sie ganz unverstellt existentielle Situationen und Erfahrungen – gleichermaßen in privaten und gesellschaftlichen Bezirken – in Sprache umsetzen, ZUR SPRACHE BRINGEN, der wird, auch wenn er die Texte Ilse Aichingers noch nicht verstanden hat, ein entschiedenes Vertrauen in ihre Verstehbarkeit gewonnen haben.

Er wäre dann auch gerüstet, sie etwa so wie Gedichte zu lesen (die lyrische, strophisch aufgebaute Kurzprosa des zweiten Teils legt es ohnehin nahe), wie die späten Gedichte Hölderlins beispielsweise: also nicht auf eine Fabel hin, nicht auf Zusammenhänge *(Niemand kann von mir verlangen, daß ich Zusammenhänge herstelle, solange sie vermeidbar sind)* und abgestandene Logik hin; sondern assoziativ (wobei die Assoziationen nicht an den Haaren herbeigezogen sind, sondern präzis, streng, aus sich heraus zwingend) und mit der Sensibilität für das Fragmentarische, Verschlossene (nicht Verschlüsselte!), dafür, daß jemand *das Atmen ausläßt abhält gering macht.* Wie im Hörspiel ›Gare Maritime‹ Joan und Joe, deren Existenz überhaupt eine bewegende Metapher ist, nicht nur für Leben und Überleben, sondern auch für das Wesen der Aichingerschen Sprache: *Du hast nicht geatmet... Oder du hast nur den Akzent aus dem Atem gebracht weil der Atem die Akzente übertreibt... hast ihn abgesäbelt hast lange Pausen gemacht.*

Solche Atemlosigkeit hat in den Texten Ilse Aichingers viele Dimensionen: diejenige des Schreckens und der Angst und diejenige einer äußersten Konzentration – beides gerade in ›Gare Maritime‹; aber auch diejenige einer endgültigen Stille – ›Die Liebhaber der Westsäulen‹ endet darin, ›Galy Sad‹ oder ›Insurrektion‹. Gerade diese Atemlosigkeit – eine Version der Todeserfahrung eigentlich – wird oft über Stationen radikaler Zersetzung und Zerstörung angegangen: am Ende von ›Privas‹

(Die schönen Stücke im Gewerbemuseum sind zerbrochen, durcheinandergeraten...); oder von ›Bergung‹ *(Die Betten kippen auch und die Lieblinge fliegen durch die Luft, Fetzenthemen, verkehrtes Gelächter, weiß, weiß, da fliegt es, rollt zurück...)* und von ›Queens‹, wo die Gegenstände in einen Atomisierungsprozeß geraten, dessen Ende nicht abzusehen ist. *(... Enden genug, ... Endlein, vierzehn Schnipsel, synthetics, Perlen und Teufel ..., wie das vom Tisch fährt, laß die Enden tanzen...)*

Es ist die Sprache Ilse Aichingers, die diesen Atomisierungsprozeß in Gang setzt und an sich selber illustriert (am extremsten in ›Albany‹). Genauigkeit und Nüchternheit der Visionen einer in Auflösung begriffenen oder schon zertrümmerten Welt sind in der Aichingerschen Sprache angelegt. Wer diese als die Aussage selbst, statt als Umschreibung derselben begreift, wird den Zugang zur Aussage finden.

Auch wenn es ein Zugang zu Kaplagen und Endstationen ist. Zur harten Kaplage von ›Dover‹: *Dover, unbestechlich und still zwischen Fallstricken und Ungenauigkeiten, mit seinen Sabberern, seinen Seilspringern und selten strandenden Crews;* zur becketthaft kargen, nichts versprechenden und nichts verbürgenden Endstation ›... St. Ives‹ *(Was eintrifft, ist in St. Ives überfällig ... St. Ives wehrt sich auf seine Weise gegen die unnütze Vielfalt)* oder zur grausamen Endstation ›Privas‹ *(... ein Schwitzkasten, eine Anstalt für tollwütige Lieblinge ... gerupft und aufgeplustert, ausgeschlachtet und eingedämmt...).*

Allerdings: je weiter an solche Punkte die Texte getrieben werden, je stärker darin die Räume leergefegt sind, desto schärfer und weiter wird das Bewußtsein, das sich ausbreitet. Die Kaplage von ›Dover‹ wird dabei zu einem Ort verpflichtender Übersicht und Einsicht: *Dover ... wird die Orte der*

Welt für uns bitten mit seinen leichten Blicken. Es wird das
Irrenhaus von Privas im Auge behalten und die anderen Irren-
häuser auch. Es wird nicht auslassen, was sich mit ihm nicht
messen kann, es wird seine Schwächen zu Hilfe nehmen und
seine Schwäche. Es wird auch die Industrie nicht vergessen, den
Fleiß, die Einfalt und daß alles bald aus ist. Es wird die miß-
ratene Verzweiflung nicht beiseite schieben, die unsere ist.
Dover nicht.

In Sätzen wie diesen wird auch das umfassende, unabgegrif-
fene Engagement der Autorin einsehbar. Daß sie fast apodik-
tisch privat erscheinen und den Rückzug auf verlorene Posten
beschreiben, soll nicht darüber hinwegtäuschen, daß sie für
Widerstand, Ausscheren, Weigerung plädieren. *Deshalb bin ich*
zum Zweitbesseren übergegangen. Das Beste ist geboten.
(›Schlechte Wörter‹) *Vielleicht zählt doch nur, was der Lächer-*
lichkeit preisgegeben ist, vielleicht beginnt erst bei ihr der
geheime Herzschlag? (›Flecken‹) *Wer nicht singt, sondern stirbt,*
den muß man nicht einmal einordnen. (›Die Liebhaber der
Westsäulen‹) Immer wieder frappieren die Texte durch genau
gerichtete Aggressivität und kompromißlose Parteinahme –
für *die kleinen Außenseiter*, gegen die *Gekaderten*, gegen *die*
Balkone der Heimatländer und für diejenigen *in den Aus-*
ländern, gegen Hierarchien, Maximen und Sicherheit, für Of-
fenheit, Ausgesetztsein, Verletzbarkeit: ... *dein Jenkins*
schläft ... Bleibt weiterhin liegen, bleibt sichtbar wie du ihn
verläßt, ausgeworfen, verletzt, leicht verletzt ... (›Galy Sad‹)
Die verlorenen Posten, bis hin zu denen der Todeserfahrung,
werden letztlich zu vorgeschobenen.

Ein Engagement mit solchen Ausgangspunkten ist eines der
Skepsis und Illusionslosigkeit, aber es setzt sich durch, gegen
Hohn und Trauer, Verbitterung und Verzweiflung. Und es

verhindert, daß sich einer zufrieden gibt und den Kompromiß nicht mehr an der ursprünglichen Forderung, die Antwort nicht mehr an der Frage mißt. »Ein feines Ohr für die Falschheit der Ersatzantworten« attestiert Wolfgang Hildesheimer dem erzählerischen Ich Ilse Aichingers. Und Peter Horst Neumann spricht im Zusammenhang mit ihrem Werk von »dieser Dichtung, der Kompromisse fremd sind«.

An diese Zeugnisse ist zu denken bei der Lektüre der letzten Sätze von ›Gare Maritime‹ und damit des Buchs. Joan und Joe, deren materielle Existenz nie recht auszumachen ist, die aber gerade dadurch die ideelle als die essentielle nachweisen, werden vom Museumswärter brutal zusammengeschlagen, zerrissen und zerstört, weggekehrt. Aber sie brechen nochmals auf, und trotziger und glaubwürdiger ist vielleicht in der Literatur noch nie ein Aufbruch vertreten worden:

JOAN *Meinst du daß wir weiterkommen*
JOE   *Mir klebt dein Auge zwischen drei von deinen Rippen*
JOAN *Und ich hab einen Fetzen Drilch unter deiner Fußsohle*
JOE   *Dein Auge zwickt*
JOAN *Und kommen wir voran*
JOE   *Es näßt mich Zwischen deinen Rippen hindurch tränt es auf die meinen Doch doch Joan Ich glaube wir kommen voran*

›Die größere Hoffnung‹ – das ist der Titel des ersten Buchs von Ilse Aichinger; hier, am Ende ihres bisher lezten, ist sie wieder, behauptet und legitimiert aus den Erfahrungen des Geschundenseins und der Atemlosigkeit.

Inhalt

I

Schlechte Wörter   7
Flecken   11
Zweifel an Balkonen   15
Die Liebhaber der Westsäulen   21
Der Gast   25
Ambros   31
Dover   34
Privas   38
Albany   42
Die Vergeßlichkeit von St. Ives   48
Rahels Kleider   52
Wisconsin und Apfelreis   59

II

Hemlin   65
Surrender   67
Bergung   69
Galy Sad   71
L. bis Muzot   72
Sur le bonheur   74
Consens   76
Insurrektion   78
Queens   79

III

Gare Maritime   83

Heinz F. Schafroth:
Die Dimensionen der Atemlosigkeit   129

D11086315